D0306838

Le rêve de Zamor

Mozart : l'itinéraire sentimental, Michel Lafon, 1991,
   J'ai Lu, 1993.

Pavarotti, J.-C. Lattès, 1993, Livre de Poche, 1995.

L'Honneur retrouvé du marquis de Montespan, Perrin, 1993,
   2001.

Chopin, J.-C. Lattès, 1994.

Beethoven : l'itinéraire sentimental, J.-C. Lattès, 1996.

Beethoven et son temps, Mango-Jeunesse, 1997.

Eve Ruggieri

Le rêve de Zamor

Roman

Plon

© Plon, 2003
ISBN : 2-259-18647-5

Préambule

Je suis né, j'avais dix ans !

De ce jour-là, je ne garde en mémoire qu'un mélange confus d'émotions : cette irrépressible envie de pleurer qui me serrait la gorge, l'enivrant parfum de l'encens qui me faisait tourner la tête et cette terrible impression de froid qui, progressivement, me glaçait le corps.

En ce quatrième jour du mois de juillet de l'an de grâce 1772, je suis devenu chrétien, donc j'existais. « Enfin ! » avait marmonné le père Collignon. Mais de la fête imaginée le soir tard dans mon lit, il ne me restait sur le cœur que ce douloureux sentiment d'abandon qu'hélas je connaissais trop bien !

Où étaient-ils donc les prestigieux invités qui devaient célébrer avec moi ce glorieux événement ? Qu'était devenu mon brillant parrain ? Où se cachait ma divine marraine ?...

A la vérité, c'était son absence, sa seule absence qui ravageait mon âme. Qu'elle apparaisse seulement et le ciel dont on m'avait tant chanté le paradis me comblerait. Mais elle n'apparut point. Et ce jour-là, le jour de mon baptême, je cessai de croire en Dieu.

1

Un fameux sapajou

Tous ceux qui l'ont approchée, ne serait-ce qu'une fois, ont dit leur saisissement devant la grâce de son port, l'harmonie de ses formes, l'éclat de son teint, la douceur pénétrante de son regard. Pour moi, je n'ai d'abord rien vu de tant d'appas ; et c'est sur un parfum que j'ai dû fonder ma religion. Son parfum... Jamais je ne l'oublierai, à la fois violent et subtil ; après un demi-siècle, je garde toujours présente à l'esprit sa trace fugitive quoique bien nette. De quoi se composait-il au juste ? Des années d'intimité ne m'ont pas permis de trancher là-dessus ; disons qu'il y entrait de l'essence de rose et de l'extrait de jasmin, très sûrement, ainsi qu'une pointe de néroli – sans oublier la fameuse frangipane qui faisait alors le fond de la plupart des eaux ardentes. Au reste, je sais que l'on n'a rien dit quand on a dit cela ; mais j'aime mieux renoncer à décrire la source de tant d'émois plutôt que d'en donner une idée fausse ou tronquée. Il suffit, pour mon récit, que ce parfum-là m'ait troublé à l'instant même où je suis entré dans la vie de Madame du Barry – encore dois-je préciser, pour que l'on perçoive mon trouble, que j'étais reclus ce soir-là dans une caisse entièrement close où régnait la nuit la plus noire.

C'était en effet l'avis du maréchal de Richelieu que tous les présents qu'il offrait, petits ou grands, devaient être somptueusement empaquetés. Aussi avait-on conçu à mon seul usage une vaste boîte en forme de pagode gainée de velours et richement passementée, équipée même d'une banquette à la façon d'une chaise à porteurs... Quand je dis « à mon seul usage », je suis un peu présomptueux ; car en même temps que moi, l'on y avait enfermé un grand ara tout rouge qui m'intimidait fort – quoique l'obscurité le maintînt tranquillement endormi sur mon bras. Moi-même je me sentais gagné par le sommeil ; et sans la présence inquiétante du volatile, je m'y serais abandonné tout à fait. Je bâillais donc depuis deux bonnes heures, dans l'attente que les hôtes du Maréchal voulussent bien sortir du concert, quand la voix d'un laquais me dit soudain d'avoir à me tenir prêt. Avalant ma salive, j'entendis bientôt la bousculade d'une compagnie envahissant le salon et se récriant sur la profusion de l'offrande. Il est vrai que l'on trouvait là, présentés pêle-mêle sur des tables de nacre et des consoles de laque, force paquets dissimulant des chinoiseries et autres babioles exotiques. Enseveli dans l'ombre, je respirai de plus en plus fort et dus me faire violence pour ne point claquer des dents. Des laquais lisaient à voix haute les noms inscrits sur les boîtes, et les dames qu'ils nommaient devaient s'avancer pour les recevoir.

L'accent rocailleux du Maréchal couvrit, tout près de moi, le bourdonnement ambiant :

— Pour vous, Madame, c'est ce paquet-ci. Maniez-le avec soin, son contenu est fragile.

Cette dernière indication excita fort l'assistance ; la curiosité était à son comble. Quel présent le premier gentilhomme de quartier avait-il pu choisir pour la favorite en titre ? S'était-il mis en frais d'un arbuste de porcelaine peint au naturel, ou bien d'une fontaine en cristal de roche, avec des robinets d'or ? Je perçus bientôt le froissement tout proche des robes de ces bavardes qui, gloussant d'impatience, aidaient Madame à déballer son présent. Et c'est à ce moment que j'ai senti, dans une bouffée soudaine, l'effluve exquis dont j'ai parlé. Mon cœur battait la chamade.

Quand le couvercle de la boîte fut ôté, l'afflux soudain de lumière terrorisa le perroquet qui, battant fébrilement des ailes, m'échappa pour s'envoler dans un nuage de plumes rouges. L'ébat du grand oiseau réjouit la compagnie dont les applaudissements, cependant, cachaient mal une vague déception.

— Mais, cela n'est pas tout, lança vivement le Maréchal avant que l'attention des convives ne fût retombée. Regardez bien ce que cache mon coffret.

La curiosité redoubla en même temps que l'empressement des dames. Des yeux inquisiteurs me scrutèrent par en haut. L'on poussa de petits cris, l'on frappa des mains. Et quand le panneau frontal s'ouvrit enfin pour me laisser apparaître tout en pied, un murmure d'étonnement se fit entendre. Devant moi, une douzaine de jeunes femmes richement parées s'écartèrent d'un pas. Je n'eus aucun mal à reconnaître celle à qui je devais adresser mon compliment : juste à la droite du Maréchal, Madame était la plus belle, et de beaucoup. Figée dans sa surprise, elle paraissait une adorable fée tout émue devant un petit animal des forêts. Je serais demeuré moi-même interdit si, me faisant les yeux ronds, le maître des lieux ne m'avait rappelé à mes devoirs. Je m'abîmai donc dans une révérence appuyée, comme l'on m'avait appris à le faire, et me redressant lentement, tentai de rassembler mes esprits pour prononcer mon petit poème. C'était compter sans les dames qui maintenant me pressaient de toutes parts. Passé le premier recul, elles me submergeaient en effet de questions et de remarques. C'était à qui toucherait mes colliers et mes bracelets, palperait mes habits, opposerait la noirceur de ma peau à la blancheur de la sienne... Je crois bien qu'elles m'auraient étouffé à la fin si, d'une voix douce mais ferme, Madame ne les avait appelées à plus de modération.

— Mes amis, dit-elle, vous voyez bien que cet enfant veut parler.

Le silence se fit à peu près. Tout éberlué, je réalisai

d'abord qu'elle avait dit « cet enfant ». Et non « ce petit singe », ou « ce négrillon » comme je m'étais toujours entendu appeler depuis que je comprenais le français ; non, Madame avait simplement dit « cet enfant » ! Rien que pour cela, je l'eusse déjà aimée. Mais elle m'en donna une raison plus évidente. Alors que trop ému sans doute je demeurais court dans ma récitation, et que les mots se dérobaient à mes prières secrètes, Madame vint se pencher vers moi et, me baisant au front, chercha ma main pour la glisser dans la sienne.

— Eh bien mon tout beau. Qu'avais-tu donc à me dire ? Je suis certaine que ce sont de charmantes choses, me souf-fla-t-elle.

Et il y avait dans son regard tant de bienveillance et de bonté que j'en fus saisi et qu'un frisson me parcourut. Déjà les mots me revenaient dans la foulée. Et c'est d'un ton raffermi que je me mis à prononcer mon compliment d'un trait.

> *Je n'ai, pour mériter vos grâces,*
> *Ni le tour ni l'éducation.*
> *Soit. Mais à votre imitation,*
> *Je saurai bien briser la glace.*

Quatre petits vers qui pourtant sont demeurés gravés à tout jamais dans mon cœur.

Personne ne s'était attendu à cette aisance de ma part, et l'on applaudit plus que de raison. Je ne sais, du reste, qui était l'auteur d'une pareille mièvrerie. Plus tard Madame m'assura que ce pouvait être Voltaire en personne... Fier en tout cas de mon modeste exploit, je décochai au Maré-chal une moue qui en disait long et fit rire Madame de bon cœur. Elle se baissa sans façons pour se mettre à ma hau-teur et m'embrassa dix fois avec effusion.

— Ainsi je puis le prendre avec moi ? demanda-t-elle, incrédule.

— Il est à vous, confirma Richelieu. Mais ne vous embarrassez de rien ; je vous le ferai porter demain à Versailles.

— Jamais on ne m'a fait de cadeau si plaisant, Monsieur le Maréchal.

Dans la seconde, le regard bleu du vieux séducteur s'illumina de l'éclat du triomphe. Et je dois à la vérité d'admettre qu'à près de soixante-quinze ans ce grand seigneur libertin conservait quelque chose du charme du petit Fronsac qu'il avait été et qui, au temps de Louis XIV, avait encouru la Bastille pour ses frasques. De satisfaction, le Maréchal me pinça la joue selon une habitude que je ne pouvais supporter, puis glissa entre mes dents l'une de ces pastilles d'ambre qu'il prenait pour s'échauffer les sangs, et que tout le monde ici connaissait sous le nom de « pastilles à la Richelieu » ; en vérité j'en détestais le goût pimenté, et une fois encore je dus prendre sur moi de ne point grimacer.

Là-dessus, un maître d'hôtel annonça que le souper était servi, et la foule insouciante s'égailla vers d'autres réjouissances. Madame, elle, ne paraissait nullement encline à se séparer de moi.

— Et comment s'appelle-t-il donc ? demanda-t-elle encore.

— Zamor, Madame, si le nom vous convient. Zamor comme dans la *Zénéide*.

— Comme dans la *Zénéide*..., reprit-elle, pensive.

Elle prononçait « Sénéide » et c'était délicieux. Tandis que je plongeais dans une nouvelle révérence, mon regard accrocha quelques plumes rouges tombées du perroquet – et sans que je comprisse pourquoi, je me sentis fondre en larmes. Madame le vit, eut la bonté de s'en attendrir et, sortant un petit mouchoir de l'une de ses manches, se mit à m'en tamponner doucement les joues.

— Alors donc à demain, me dit-elle, avant d'ajouter gentiment : ce ne sera pas si long...

Déjà le Maréchal l'entraînait vers la salle à manger, tandis que je serrais dans ma paume le petit mouchoir parfumé qu'elle venait d'y laisser. De mon côté, l'on m'attendait pour me mettre au lit. Cependant, je ne devais m'endormir que bien tard ce soir-là, et sûrement pas avant que le dernier carrosse eût quitté la cour de l'hôtel de Richelieu, m'enivrant du sublime parfum qui imprégnait la précieuse dentelle.

Tout le monde a parlé de Versailles, et la disgrâce où cette maison est tombée de nos jours n'ôte rien à sa gloire. A l'époque dont je parle, c'est-à-dire au printemps de 1769, elle était encore le centre du monde civilisé et formait sans conteste le lieu le plus envié mais aussi le plus redouté, celui d'où tout partait pour finalement y revenir un jour. Les caprices de feu la reine Marie-Antoinette n'avaient pas encore détourné de la Cour les grands seigneurs du royaume ; et le souvenir presque palpable encore de la marquise de Pompadour y retenait savants, artistes et philosophes. Surtout, le prestige de la monarchie, bien qu'écorné par les écarts de conduite que l'on reprochait au roi Louis XV, demeurait à peu près intact. Et l'on ne se rendait jamais dans ce pays-ci, disait-on alors, sans un sentiment mêlé de révérence et d'exaltation.

Tôt le matin, nous partîmes donc, Monsieur Pousse, l'intendant de l'hôtel de Richelieu, et moi-même, en direction de Versailles. Le chemin depuis Paris ne me dura guère, tant il recèle de variété dans les paysages et de beauté dans ses points de vue. Nous avions quitté la ville entre huit et neuf heures par la barrière de Passy, et de ce charmant village, étions passés dans celui d'Auteuil, plus attrayant encore et mieux loti si possible. De la grande route que l'on emprunte ensuite et qui longe la rivière, je devais admirer, à main gauche, les coteaux d'Issy, de Vanves, de Meudon, de Bellevue... Des noms qui m'étaient alors inconnus et que Monsieur Pousse se soucia fort peu de m'enseigner. Grave et hautain, il ne s'intéressait pas plus à mon sort qu'à celui d'un quelconque animal de compagnie. Au reste, toute cette nature et ces grands espaces n'étaient point faits pour me réconforter ; et je ne cessais, pour me raccrocher à des choses familières et rassurantes, de contempler les beaux festons de l'habit blanc brodé d'argent que l'on m'avait fait revêtir pour la circonstance. Après avoir passé Chaville et Viroflay, traversé des coteaux en vergers et quelques prairies coupées de haies vives, nous fûmes avant dix heures aux confins de la cité royale. La largeur étonnante de ses avenues trop vastes me parut sans mesure avec sa taille, et leur majesté déserte sans rapport avec le grouillement que l'on observait aux abords immédiats du château. La voiture contourna la place et monta la rue à droite jusqu'au portail latéral qu'on appelle « grille de la Chapelle » puis elle s'arrêta au bout de l'Aile neuve, devant l'entrée desservant au rez-de-chaussée le logement qu'occupait alors Madame. Ce que je vis d'abord des intérieurs me les fit juger plus étriqués, et incomparablement moins somptueux, que ceux de l'hôtel du Maréchal.

A peine entré dans le vestibule, le gros intendant me confia, sous l'œil goguenard des laquais, à deux femmes qui paraissaient elles-mêmes fort amusées de me découvrir, mais dont je ne pus juger d'abord ce qui les divertissait le plus, de ma figure ou de ma parure. Me tournant en tous sens comme on le ferait d'une poupée, elles s'assurèrent que mon jabot plastronnait haut, que mes basques tombaient droit, que mes souliers étaient bien noués. Elles rajustèrent promptement la plume surmontant le grand bâton que je tenais pour la contenance, ainsi que l'aigrette ornant mon turban. Puis, non sans se pousser du coude, elles me firent traverser un cabinet désert avant de gratter discrètement à la porte du fond. L'un des battants s'entrouvrit, la première femme s'y engouffra, l'autre me poussa dans son sillage, et je me retrouvai au seuil d'une chambre en tout point délicieuse, à quelques pas de ma nouvelle maîtresse. Elle était assise de trois quarts à sa toilette, et buvait à petites gorgées du café tandis qu'une femme de chambre démêlait sa chevelure d'or mat.

— Ah ! Voilà mon cher petit Zamor ! dit-elle – elle prononçait « Samor » comme la veille.

— Dieu qu'il est noir ! dit la dame assise auprès d'elle.

— Je vous avais prévenue, coupa ma protectrice un peu
vivement ; puis elle ajouta : mais n'est-ce pas qu'il est
adorable ?

— En tout cas il n'est pas commun. Entend-il notre
langue ?

— Comme vous et moi, ma chère.

La dame se leva et, s'approchant sans hâte, me dévisagea
tranquillement. Elle-même était plutôt petite et passablement ingrate de tour et de visage, mais non sans un feu qui
donnait force et vie à son joli regard. Elle se révélerait être
la belle-sœur de Madame, celle que, dans l'intérieur, on
n'appelait que « Mademoiselle Chon ».

— Eh bien, conclut-elle, je sais de qui l'on va causer
tantôt.

— C'est aussi bien, dit Madame, laissez faire.

Et se tournant vers moi :

— Approche, petit Zamor, viens me donner un baiser.

J'en rêvais depuis trop longtemps pour me faire prier
davantage. Et je fus bientôt grimpé sur les genoux de ma
belle fée, à l'embrasser de tout mon cœur. Déjà, on annonçait les premiers visiteurs. C'étaient alors les débuts de la
faveur de Madame qui venait d'être présentée, et l'on pouvait juger des hommages qu'elle recevait à sa toilette
publique par la quantité de sollicitations dont elle était l'objet. Autant dire que tout le royaume, plus ou moins, défilait
dans sa chambre les matins où le Roi tenait conseil ; les
princes du sang y côtoyaient les généraux, les ministres y
croisaient les ambassadeurs, sans oublier quelques princes
de l'Eglise qui n'étaient pas les moins empressés. Le premier à entrer, ce matin-là, fut, je crois, Monsieur de La
Vauguyon, un dévot fort en cour du côté jésuite, et qui
jouissait alors pleinement de son statut envié d'ancien précepteur de Monsieur le Dauphin. Sitôt qu'il me vit, le

pauvre homme fut secoué de soubresauts ; il dut se composer un visage avenant, en dépit de sa répulsion visible pour la gent négrière, et surmonter son aversion pour complaire à la nouvelle sultane. Il y forçait d'autant plus sa nature que Madame, soit naïveté aveugle soit calcul délibéré, le conviait à me sourire et à babiller avec moi. N'étais-je pas son nouveau protégé ? Repassant aujourd'hui la scène, j'aurais tendance à la trouver cocasse ; à l'époque, elle heurta ma sensibilité d'enfant inquiet, parce que trop conscient déjà de sa différence.

Heureusement, tous les visiteurs que reçut Madame ce matin-là ne partageaient pas, loin s'en faut, les préventions de Monsieur de La Vauguyon. De plus ou moins bonne grâce, certains me firent même excellent accueil et surent d'emblée saisir au vol une occasion nouvelle d'adresser à ma maîtresse des compliments que j'eus la candeur de prendre pour moi. Ainsi de Monsieur le duc d'Aiguillon, par exemple, qui devait par la suite jouer un si grand rôle dans la politique et dans le destin de Madame. Il y eut même, au milieu des courtisans et des flatteurs, des âmes ayant conservé assez de naturel pour me trouver charmant et drôle sans arrière-pensée. Je crois que ce fut le cas, tout de bon, de la maréchale de Mirepoix, dont la suite des événements me prouverait, mille fois, et sa franchise envers Madame et son bon cœur à mon égard.

— Comme il est mignon, ce petit-là ! lança-t-elle en entrant parmi les dernières. J'aime bien son regard. Voyez-vous, mon enfant – elle appelait toujours Madame ainsi – voyez-vous, mon enfant, je suis sûre qu'avec un peu de douceur et de bonne volonté vous en tirerez quelque chose.

Madame sut gré à la vieille maréchale de ses encouragements ; quant à moi, j'ai longtemps voulu croire à la justesse d'un avis qui, au demeurant, ne fut que trop souvent repris. La toilette de Madame était en soi un spectacle. Revêtue alors de son « manteau de lit », elle était assise à la coiffeuse, devant un miroir où deux amours du goût le plus exquis paraissaient la couronner en effigie. La Comtesse mettait elle-même le noir à ses cils et le rouge à ses joues. J'apprendrais par la suite à en connaître les infinies nuances, adaptées à l'hiver, à l'été, à la nuit, au petit jour, au théâtre, à la ville... La nature avait doté ma maîtresse de deux grains de beauté naturels : la « galante » au milieu de la joue et la « baiseuse » au coin de la lèvre. Elle-même en ajoutait deux autres : l'« enjouée » sur le pli de la bouche et la « passionnée » tout près de l'œil. Mais pour sa chevelure c'étaient ses coiffeurs attitrés, Nokelle et Berline, qui se relayaient selon les jours pour la présenter au naturel ou la poudrer à frimas.

Ce jour-là, tout le temps que dura l'interminable toilette, il ne fut question, d'une manière ou d'une autre, que de ce Roi dont l'assistance semblait tout emplie. « Le Roi souhaiterait... Il semble que le Roi... S'il vous plaît, Madame, dites au Roi... Si le Roi daignait... » Il se trouva même un courtisan assez adroit pour affirmer qu'il avait été question, « au Lever du Roi », de la réception donnée la veille par le Maréchal, et du singulier présent qu'on y avait fait à Madame.

— Comment Sa Majesté le trouve-t-elle ? demanda un barbon dont j'ignorais encore – mais pour fort peu de temps – qu'il était le prince de Soubise.

— Le Roi ne l'a point vu, répondit sobrement ma maîtresse.

Mais sitôt sorti le dernier visiteur, elle-même ne m'entretint que de l'effet flatteur que je me devais absolument de produire sur le Roi.

— Il y va de ton bonheur ici, me dit-elle, comme de ma tranquillité.

Je ne sentais aucune inquiétude dans sa voix ; c'est même avec une grâce et une légèreté de déesse qu'elle m'entraîna tout aussitôt dans l'exploration de son appartement. C'est peu dire que nous fîmes le grand tour, réduits et cuisines y compris. Madame tint à me présenter elle-même à tout le personnel, qui était assez nombreux déjà, et prit grand soin de préciser que je devais être traité comme si j'étais, à tout le moins, son filleul, voire même son propre enfant.

Quoique rassuré tout à fait par ma belle maîtresse – je me sentais en sécurité dans ses jupes de mousseline pâle –, la soudaineté de mon changement d'état, jointe à la peur de démériter, me plongèrent très vite dans une sorte d'abattement. Madame comprit tout cela à merveille, et plutôt que de s'en chagriner, tenta simplement de dissiper les nuages amoncelés dans ma tête. Elle savait admirablement distraire son monde, et je crois que ce fut sa plus grande qualité dans le singulier office qu'elle remplissait alors. Me prenant gaiement par la main, elle me conduisit auprès du perroquet rouge de la veille qu'elle avait ramené dans sa propre voiture, et qui, dès qu'il m'aperçut, se remit à battre des ailes ; je me surpris à rire soudain de la façon dont elle lui parlait, comme à un vieillard sourd ou sénile. Puis elle m'emmena voir, dans son boudoir, une curiosité que l'on venait aussi de lui offrir, et qui d'abord me parut un coffret à bijoux, magnifique, certes, mais sans autre intérêt que la profusion de pierres qui le parait.

— Ouvre-le un peu, pour voir, me dit ma belle fée avec une infinie douceur.

Moins par curiosité que pour ne lui pas déplaire, je levai donc le couvercle de la jolie boîte. Aussitôt d'invisibles clochettes se firent entendre au-dedans, qui jouèrent un moment sur l'air de *Cadet Roussel*... L'étonnement me laissa bouche bée, ce qui divertit beaucoup Madame.

— Est-ce assez surprenant, dit-elle.

Elle me laissa prendre la boîte, et même l'inspecter de fond en comble sans pouvoir en déceler le mystérieux mécanisme. De ma vie je n'avais rien vu de si étrange.

Hélas, notre douce intimité allait s'achever lorsque l'une des femmes de Madame l'interrompit assez brutalement par ces mots :

— Sa Majesté le Roi, Madame.

Cette imminence me terrifia. D'un bond, je fus me cacher derrière un petit canapé d'alcôve d'où Madame n'eut point le temps de m'extirper avant l'entrée du Maître. Tapi dans ce que je pensais être la moins mauvaise cachette possible, j'aperçus ma fée qui sombrait, comme moi devant elle, dans une profonde révérence. Qui donc pouvait bien être ce Roi, pour que Madame elle-même s'en déclarât la servante ? Décidément, j'avais bien fait de me cacher. L'on excusa mon attitude par l'âge, l'inexpérience et le défaut d'éducation, puis on entreprit de me faire sortir au plus vite de ma tanière. La façon dont on s'y prit montra tout à la fois la douceur de Madame et son habileté : se baissant vers le petit canapé, elle rouvrit simplement la jolie boîte pour en faire jouer la musique. Oubliant tout le reste, je surgis alors comme un diable, et me retrouvai pantois, bras ballants, devant un homme mûr au regard doux et las, assez grand, de port très noble et d'allure vraiment impressionnante. Le maréchal de Richelieu l'accompagnait ; et c'est lui qui, d'un ton sec, me rappela à mes devoirs :

— Tu ne te rappelles donc pas comment on salue Sa Majesté ?

J'exécutai vivement ma révérence, puis je courus me réfugier dans les jupes de ma belle fée, qui souriait de ma maladresse.

— Eh bien, dit le Roi en feignant de plaindre Madame, vous voilà flanquée d'un fameux sapajou !

Sur quoi, tous les trois passèrent dans la pièce attenante, me laissant seul avec la femme de chambre, et fort désemparé. Je craignais que Madame ne me grondât en revenant ; mais elle me réconforta au contraire, et dit même que le Roi m'avait trouvé à son goût. Puis elle ajouta, comme à regret, qu'il souhaitait que l'on me fît voir à Mesdames dès le lendemain, pour leur distraction.

La Cour hébergeait encore quatre des filles de Louis XV, Madame Louise, quoique sur le point d'entrer au Carmel, n'ayant pas encore quitté Versailles pour Saint-Denis. Leurs appartements du rez-de-chaussée étaient en passe de recevoir d'importantes transformations. L'on accédait à celui de Madame Adélaïde par un grand vestibule ouvert sous le passage vers la terrasse du Nord. C'est là qu'un laquais de Madame me remit à la maréchale de Mirepoix, choisie pour m'introduire auprès des Princesses.

— Je veux surtout que tu sois bien sage, me dit-elle d'un ton ferme et qui tranchait assez sur la souplesse que je lui avais connue la veille.

En vérité, sa mission n'était ni très facile, ni très agréable ; et je crois qu'elle avait à cœur de m'en imposer d'emblée, afin de me dissuader du moindre écart. La Maréchale nous fit annoncer, et pendant que nous faisions antichambre, entreprit d'inspecter ma tenue dans le moindre détail. Je portais ce jour-là un somptueux pourpoint de soie mordorée, broché d'or sur les tailles et les parements, et sur lequel d'audacieuses brodeuses avaient semé de grosses cerises aux reflets moirés. Le vêtement tranchait agréablement sur un justaucorps lui aussi tissé d'or et un turban de la même étoffe. Pour en compléter l'effet, Madame avait pendu à mes oreilles et à mon cou trois gros rubis dont elle m'avait dit qu'ils ne lui valaient rien au teint mais faisaient merveille sur le mien.

— Vous êtes attendue, annonça à la Maréchale une dame d'atour de Mesdames, après un gros quart d'heure passé en silence.

Elle nous pria d'entrer dans un vaste cabinet où les quatre Princesses, en robe d'intérieur, travaillaient ensemble à une page de musique, tout en grignotant des copeaux de jambon. Nous fîmes nos révérences. Mesdames n'étaient plus vraiment jeunes, mais pas encore vraiment laides. Madame Adélaïde paraissait dominer la petite troupe ; c'est elle au demeurant qui lança les hostilités.

— En vérité, madame la Maréchale, vous voilà versée dans la mode. C'est cela qui est élégant !

— Le Roi, Madame, a trouvé plaisant...

— Ne mêlez donc point le Roi à ces fariboles. Et approchez, s'il vous plaît, qu'on voie le phénomène.

La plus grosse des Princesses, et qui paraissait aussi la plus aimable, Madame Victoire, interrompit sa sœur aînée :

— Qu'il est drôle, et qu'il est noir ! D'où vient-il, Maréchale, le savez-vous ?

— Il nous vient de Pondichéry, Madame. Ou plutôt, de Chandernagor.

— Ce n'est pas la même chose, fit remarquer Madame Louise sans lever les yeux de son papier.

— C'est tout un, trancha l'aînée.

Levée brusquement de sa chaise, Madame Victoire s'approcha de nous et, me prenant par la main, me conduisit, tremblant, vers une grande mappemonde qui occupait un coin du salon.

— Montrez-nous d'où vous venez, et par quel chemin.

J'avais sept ans alors, et guère d'instruction. Aussi je ne compris point ce qu'elle voulait, et demeurai coi un moment. Madame de Mirepoix tenta de voler à mon secours, mais Madame Adélaïde l'interrompit de nouveau :

— Enfin, Victoire, dit-elle en toisant sa sœur, vous voyez bien que ce négrillon ne sait ni A ni B. Je gagerais qu'il n'est même pas baptisé.

— N'est-il pas bon chrétien ? demanda Madame Louise, soudain plus intéressée.

— Récite-moi un Pater, intima l'aînée des Princesses.

— Un Pater, juste un Pater, insista Madame Victoire.

Ne sachant trop ce que voulaient ces méchantes femmes, je me mis, à toutes fins utiles, à réciter la seule chose que je savais à peu près :

Je n'ai, pour mériter vos grâces,
Ni le tour ni l'éducation.

Soit. Mais à votre imitation,
Je saurai bien briser la glace.

C'est pourtant bien la glace qui accueillit cette sortie. Car Mesdames avaient beau n'être guère éveillées, elles ne comprirent que trop bien à qui ces vers étaient dédiés. Madame Sophie, qui jusqu'alors ne s'était point manifestée, partit d'un rire de possédée.

— Navrant ! lâcha finalement Madame Adélaïde.

Et retournant à son violon, elle donna le signal de la retraite. La Maréchale me fit accomplir une dernière révérence, puis m'enleva prestement, comme on évacuerait un plat mal cuit ou une coupe de fruits gâtés. Cependant, je ne la sentais pas en colère et dès que nous eûmes regagné l'Aile neuve, elle éclata d'un bon rire qui me réconcilia un peu avec le genre humain. Il fallut raconter vingt fois la scène à Madame, qui s'étouffait de rire elle aussi, et vingt fois imiter la voix et les façons de chacune des Princesses. Puis, quand on eut bien ri, l'on décida qu'il n'était que temps de me donner un précepteur.

Celui dont on me gratifia aurait convenu sans nul doute aux Princesses, par sa piété obséquieuse autant que par l'érudition dont il croyait devoir constamment faire assaut. Jésuite en souffrance depuis la suppression de la Compagnie, il avait épousé les travers de son ordre, sans en hériter aucune des qualités. Parfaitement soumis aux puissants, le père Bruneau montrait en revanche bien de la hauteur envers les humbles. Les regards supérieurs dont il toisait ordinairement le commun trahissaient en lui la plus parfaite bassesse, alliée, je crois bien, à la plus incurable des vanités. Si l'on ajoute à cela le physique ingrat d'un homme que sa mauvaise allure faisait paraître plus petit et plus gros qu'il n'était en vérité, l'on comprendra que je ne me sois guère découvert d'attirance pour mon nouveau mentor. Je ne sais plus ni par qui ni comment il s'était insinué dans l'entourage de Madame ; je crois seulement me rappeler que c'est à Mademoiselle Chon qu'il devait cette bénédiction – en témoignaient à l'évidence les flatteries obséquieuses dont il la couvrait.

A mon égard, l'attitude de l'ancien jésuite manquait singulièrement de franchise. D'un côté, il avait bien garde de se montrer blessant envers un disciple si hautement recommandé ; mais cependant, il ne pouvait s'empêcher, par mille gestes à peine esquissés, de me faire sentir tout le mépris dans lequel il tenait le petit esclave nègre que je ne pouvais manquer d'incarner à ses yeux. Soyons juste : dans les premiers temps au moins, les leçons toutes simples du père Bruneau me furent d'un très grand secours. J'appris grâce à lui les rudiments de tour et de langage indispensables à mon maintien dans l'univers raffiné de la Cour ; et je dois même à la vérité d'ajouter que quel que fût le dépit qu'il en eut par la suite, mon précepteur me donna, dans les commencements de mon service auprès de Madame, des bases de politesse et d'éducation dont quelque chose me sera resté jusqu'à ce jour.

Autant le reconnaître enfin : les succès du maître n'étaient jamais qu'à la mesure de la motivation de l'élève. Privé depuis toujours d'un accès aux sources du savoir, je nourrissais pour la lecture et pour l'écriture une fascination qui ne déclina jamais. Si bien qu'il ne devait pas être désagréable, pour le père Bruneau, de me voir boire ses paroles et appliquer ses consignes, comme si des unes et des autres avait dépendu le bonheur de ma vie.

Sans s'y intéresser plus que cela, Madame se montrait fière de mes progrès rapides en ces matières et assurait à qui voulait l'entendre que, sous mon crâne de polisson, se cachait le cerveau d'un savant. Je ne sais jusqu'à quel point elle prêtait foi elle-même aux compliments dont elle me couvrait ainsi ; mais j'avais alors la prétention de les mériter et redoublais de bonne volonté dans la seule fin d'en recevoir de nouveaux... A la réflexion, je me dis que Madame devait bien se moquer, au fond, de mes progrès en grammaire ou en versification ; il lui suffisait de me voir tenir honnêtement ma place dans une conversation de salon et qu'on pût m'adresser la parole sans qu'elle eût à rougir de mes réponses. Car pour le reste, il lui paraissait sans aucun doute plus important de me voir verser élégamment le chocolat, porter sa traîne sans tirer sur les agrafes, ou tenir son parasol de telle sorte que le soleil ne l'atteignît jamais.

Etrangement, et maintenant que j'y repense, il me revient à propos de l'étoffe écarlate de ce parasol qu'il m'arrivait de ne pouvoir l'approcher sans me sentir pris de vertige. Souvent, après l'avoir porté à la promenade, une sorte d'hallucination me venait en rêve dans la nuit qui suivait. Comme la nuit dernière, je voyais apparaître une créature à la fois tendre et mystérieuse qui, à mesure qu'elle dansait devant moi, semblait m'échapper. Et lorsque sa silhouette imprécise s'effaçait tout à fait, brusquement l'air venait à me manquer. De sorte que je m'éveillais essoufflé, le front mouillé de sueur, et plus mort que vif.

2

« Que tant de mers me séparent de vous... »

Vue d'un peu loin, la frénésie de la Cour faisait l'effet d'un grand désordre. Mais pour qui savait en pénétrer la secrète logique, cette « confusion » se révélait tout au contraire proche de l'organisation quasi militaire d'une ruche, où rien n'est abandonné au hasard ; elle dissimulait même la mécanique la mieux réglée du monde. Tout, à Versailles, se trouvait codifié depuis le règne précédent. Ainsi des « voyages », petits et grands, auxquels devaient sacrifier les personnes que leur office auprès du Roi rendait indispensables à son service.

Madame venait au premier rang, et je crois qu'elle ne regardait pas sans soulagement le prochain départ de la Cour pour Compiègne. Ce « voyage » intervenait chaque année vers la fin du printemps. Il était suivi d'un autre, dans le courant de l'automne, à Fontainebleau celui-là. De sorte que, dès la mi-mai, les noms de Compiègne et de Fontainebleau faisaient le gros des conversations. Faut-il le préciser, personne ne s'était mis en peine de m'initier à ce rite saisonnier, pas plus d'ailleurs qu'aux autres usages d'un « pays » dont j'ignorais tout encore. Je ne savais même pas que c'était à Compiègne, précisément, qu'était née l'année précédente la faveur dont jouissait Madame, ni qu'elle y disposait déjà d'un hôtel en ville. Pour l'heure, je n'entendais que ses soupirs d'impatience à la perspective d'un séjour dont elle attendait calme et liberté.

Il avait été prévu que, pour ma part, je ne suivrais pas ma maîtresse à Compiègne, et que logé par le père Bruneau dans son petit appartement de Versailles, je profiterais de ce répit pour affiner ma lecture et mon écriture. On ne m'en dit guère plus avant l'heure fatidique de la séparation. Simplement, au matin de ce grand départ, Madame me prit sur ses genoux, ce qu'elle ne faisait que lorsqu'elle avait à ménager ma sensibilité, et me chuchota à l'oreille en me cajolant :

— Je te fais confiance, mon petit Zamor. Tu vas être bien sage, n'est-ce pas ?

Je dus me contenter de cela ; car Madame, accaparée par les mille soucis du départ, m'abandonna tout aussi vite à la fébrilité des préparatifs. Des heures durant, je me mêlai, inquiet, à l'agitation des valets et des servantes qui, ayant resserré effets et fournitures dans de grandes malles, les transportaient dehors pour qu'on les hissât sur des voitures chargées à en craquer. Bien qu'amusé, comme un enfant peut l'être, par tout ce remue-ménage, je ne pouvais me défendre d'une crainte irraisonnée ; c'est que de si lourds chargements m'en rappelaient d'autres, moins raffinés sans doute, auxquels j'avais assisté naguère dans le port de Chandernagor... Devais-je une fois encore me préparer à ce que tout mon univers chavirât ?

Sans attendre l'heure habituelle, je filai revêtir la livrée de brocart que j'avais coutume de porter aux promenades. Peut-être avais-je le sentiment que mon exactitude au service allait suffire à retarder la bouleversante échéance... Sans passer voir la cameriste qui, d'ordinaire, mettait la dernière main à ma tenue, je courus me poster à l'issue habituelle, près de la cour de la Chapelle. J'y demeurai fort longtemps, dans un état de désarroi croissant qui, petit à petit, finit par se muer en une forme cachée, et d'autant plus insidieuse, de panique. Enfin je fus remarqué par un valet de pied qui, moquant ma raideur, me demanda ce que je faisais là, et dans un si grand équipage.

— J'attends ma maîtresse, madame la comtesse du Barry, répondis-je avec modestie.

Ravi de tant d'abnégation, le valet partit d'un grand rire.

— Dans ce cas, mon fils, je te conseille de t'asseoir ! Car tu risques d'attendre encore un long moment...

Et le brave homme s'en fut avertir Félicité Cuignet, l'une des femmes de la maison de Madame qui, elle non plus, n'était pas du voyage de Compiègne. A son émotion, je compris qu'elle m'avait tout bonnement oublié.

— Enfin, que faites-vous là ? Je vous ai cherché partout, osa-t-elle mentir de manière éhontée.

— Madame ne viendra donc pas ?

— Il y a longtemps que Madame est partie, et tout le monde avec elle. D'ailleurs, à l'heure qu'il est, elle doit être bien loin.

Cette nouvelle, assenée sans ménagement, me fit définitivement perdre ce que j'avais pu garder de contenance.

— Allons, insista Félicité tandis que j'éclatais en sanglots, ne faites donc pas l'enfant. Venez chercher votre ballot, que je vous conduise chez le bon père.

Mon précepteur habitait, rue de la Pompe au quartier Notre-Dame, le rez-de-chaussée d'une maison dont le jardin, tout en longueur, communiquait avec la place du Marché. Il m'y accueillit sans cérémonie, me désigna comme à regret le réduit dont j'allais devoir faire ma chambre, me servit un méchant brouet accompagné de pain rassis et d'une pomme à peine mûre puis, estimant que je devais être fatigué, m'envoya au lit avant qu'il fût sept heures ! Moi qui, d'ordinaire, ne me couchais jamais avant une ou deux heures le matin !

Dès le lendemain, j'appris par force à découvrir la vie qu'on menait en France, hors les maisons royales et ducales... Levé avant l'aube, je dus procéder à des ablutions sommaires et glaciales, sans aucune commodité, ce qui me changeait radicalement de l'eau tiède et parfumée alors en usage chez ma maîtresse. Puis, après un déjeuner qui ne valait guère mieux que le souper de la veille, j'accompagnai mon précepteur à la petite messe, dans cette église Notre-Dame que l'on n'atteignait que par des rues sombres et puantes.

Au retour, alors que nous traversions le marché de la ville, déjà grouillant de toutes sortes de gens, je profitai d'un moment où le père Bruneau s'attardait à bavarder avec deux vieilles dames armées de grands paniers pour lui fausser compagnie et me faufiler parmi les badauds et les marchands, entre des bancs et des étals débordant de viandes, de poissons, de fruits et d'herbes, de farine ou de grain pour les chevaux... C'est alors qu'une odeur tenace, douceâtre et fade que je connaissais bien me pétrifia. Devant moi, de lourdes carcasses de viande éclaboussaient de sang jusqu'aux yeux les bouchers qui les frappaient à grands coups de hachoirs.

— Sauve-toi de là, moricaud, ou je te raccourcis les oreilles ! me lança un commis que je n'avais pas vu venir.

Avant que j'aie pu réagir, des garnements qui passaient arrachèrent l'aigrette de mon turban et, s'en disputant le trophée, me lancèrent à leur poursuite dans une venelle en retrait, du côté du Bailliage. Il eût mieux valu, cent fois, que je leur abandonne l'aigrette ; mais outre que je redoutais la réaction du « bon père », je tenais pour une atteinte insupportable à ma personne que ces enfants sales et mal attifés aient eu seulement l'idée de s'en prendre au petit gentilhomme qu'alors je me figurais être.

— Rendez-moi cette plume ! ordonnai-je d'un ton qui se voulait comminatoire, mais n'eut pour effet que de provoquer l'hilarité générale.

— Viens la chercher, noiraud ! me répondit celui des garçons qui paraissait conduire la petite troupe.

— La plume est au Roi ! lançai-je en désespoir de cause.

Et bien entendu l'effet produit fut à l'inverse de celui que j'escomptais. Ma morgue de petit-maître ne fit qu'attiser chez ces vagabonds la haine que leur inspiraient, tout ensemble, la richesse de mes habits, la noirceur de ma peau, et l'étrangeté de mon allure. Sans avoir à se concerter, les trois fripons se jetèrent sur moi et, m'assenant force coups de poing et coups de pied, s'évertuèrent à souiller mon costume, à piétiner mes souliers, à déchirer mes bas de soie. Je fus roulé dans la fange du ruisseau, cogné, griffé... Par bonheur, le père Bruneau m'avait interdit, le matin même, de porter aucun des joyaux dont on me couvrait d'habitude. J'en fus donc quitte pour la tenue.

— As-tu eu ton compte, Monsieur le Noiraud ? dit le plus grand des gamins qui visiblement les commandait.

Et comme, saignant du nez et des lèvres, je ne répondais point, il me cracha au visage pour que la mesure fût à son comble.

Là-dessus, sur un signe qu'il fit, la troupe s'égailla, me laissant à terre, sonné et dépenaillé, tentant douloureusement de me relever, alors qu'apparaissait, au bout de la ruelle, mon précepteur essoufflé, l'œil inquiet et le rouge aux joues. Il n'eut qu'à me considérer pour comprendre dans quelle embuscade je m'étais fourré ; et c'est en me tirant par l'oreille, mais sans me poser la moindre question, qu'il me ramena dans sa masure où je fus désormais consigné.

— Que je ne te prenne plus à faire le mur ! dit-il en me menaçant du doigt, sans réaliser qu'à la vérité je n'en avais pas la moindre intention.

C'est ainsi que je me retrouvai prisonnier de ce logis sombre et humide, qui me faisait l'effet d'un caveau. Aux murs, la peinture verdâtre, en se décollant par plaques, avait dessiné d'étranges continents, où mes rêveries me portaient. Je passais le plus clair de mon temps, en dehors des pages d'écriture et des petits travaux domestiques, à lorgner au-dehors par les deux fenêtres, heureusement assez claires, dont l'une donnait sur la rue et l'autre, sur le jardin. Je pus ainsi m'exercer, des journées durant, à reconnaître de loin les voisins, dès qu'ils apparaissaient au détour de l'avenue de Saint-Cloud, et à épier les trois petites filles qui, logeant à l'étage, descendaient souvent jouer dans la cour. Je suivais leurs ébats sans dételer, et je finissais par me croire intégré à leur cercle, à force d'assiduité secrète. Mais de leur côté, si elles furent conscientes de se trouver ainsi surveillées, elles n'en montrèrent jamais rien. Assurément, j'aurais pu sans risque aucun me mêler à leurs amusements ; mais les ordres du père Bruneau n'admettaient pas d'exception, et la crainte d'avoir à me remettre à Madame en mauvais état lui dictait à mon encontre des principes rigoureux jusqu'à l'absurde.

Les jeux de ces petites filles me ravissaient d'autant plus qu'ils me rappelaient ceux de mes propres sœurs. Mes trois sœurs... Etaient-elles toujours en vie, là-bas ? A Balaçor, aux portes de Chandernagor, à dix petites lieues de l'embouchure du Gange. Mes souvenirs des Indes étaient alors plus précis sans doute qu'ils ne le sont devenus ; car je n'ai plus aujourd'hui à l'esprit que quelques images floues, quoique obsédantes, des lieux et des visages de ma prime enfance. C'est une pluie de mousson qui déferle sur un village et vient tout noyer dans une lumière de fin du monde... Ce sont des bœufs encornés bien haut et que l'on pare pour une fête, de fleurs et de rubans bigarrés... Ou ce bûcher où l'on brûle les corps décharnés des innombrables victimes d'une épidémie.

Je ne sais plus quelle était cette maladie qui malmena les miens des mois durant. Mais je sais qu'elle emporta ma mère... Dans la caste des tireurs d'huile qui était la nôtre, la disparition d'une mère de famille dans la force de l'âge était une catastrophe irrémédiable. Avec mes trois sœurs et ma grand-mère, il y avait six bouches à nourrir à la maison ! Je crois me souvenir que ma grand-mère et mon père disputèrent du sort auquel il convenait de m'assujettir. Mon père, me semble-t-il, n'aurait pas vu d'un mauvais œil que je puisse le seconder sur les pressoirs – au prix peut-être de ma vie. Mais ma grand-mère voulait me laisser une chance ; or c'est à elle que, traditionnellement, revenait la décision finale quant au sort des enfants. Un matin, ayant pris soin de ma toilette comme jamais sans doute auparavant, elle mit ma petite main dans la sienne, et prenant le chemin des chars à bœufs, me conduisit du côté des grèves, chez ces Français où l'enfant, comme esclave, se monnayait deux cents roupies. Pour ma grand-mère, une telle somme, certes substantielle, comptait certainement moins que le désir de m'épargner de mortelles fatigues. Dignement, sans rien trahir des sentiments terribles qui devaient l'habiter, elle me confia aux mains expertes d'un négociant qui eut tôt fait de contrôler l'éclat de mes yeux, le bon état de mes dents, la souplesse de mes membres et la bonne constitution de l'ensemble. Sitôt qu'il eut approuvé, elle procéda vivement à la transaction et, me serrant une dernière fois dans ses bras, prononça tout bas des phrases qui se voulaient rassurantes où son amour me parut pourtant plein de résignation. Pauvre grand-mère ! Comment aurait-elle pu imaginer le sort inouï auquel j'étais promis, et comme on l'eût surprise, en lui montrant son petit-fils vêtu de soie et d'or, couvert de pierreries, et devisant hardiment avec des Rois et des Princesses !

Un officier français, qui paraissait commander à tous ceux qui se trouvaient là, fit signe à l'un des marins de m'intégrer à la marchandise. Avant même que j'aie pu réagir, je me retrouvai donc ligoté, couché sur le flanc, et prêt à recevoir la marque au feu et les fers aux chevilles. Mon calvaire commençait, avec son lot d'humiliations et de souffrances.

— Viens par ici, ne te fais pas remarquer ! me dit quelques heures plus tard un garçon à peine plus âgé que moi, alors que, détaché de mes fers mais désespéré, j'errais en pleurant dans l'enclos des esclaves.

Il s'était fait une sorte de cachette dans le recoin d'un

appentis, et paraissait s'en trouver bien. Encore abasourdi par la violence de l'accueil, je me raccrochai à lui comme un naufragé au rocher. Et, durant la semaine qui nous séparait de l'embarquement, je me mis sous sa protection tacite. Assez vite, j'avais compris qu'à la condition de ne pas trop attirer l'attention, il me serait possible de supporter l'état de captif où je me voyais réduit. Mes semblables étaient nourris passablement, corrigés sans excès, et nous avions toute licence, afin de meubler les chaudes journées d'attente, d'inventer des jeux pour oublier un temps notre état. Les chamailleries n'étaient pas rares au sein de notre petit groupe ; mais avec l'insouciance des enfants, nous parvenions tant bien que mal à garder notre bonne humeur. Pour un peu, je dirais que nous nous amusions assez.

Le soir était toujours un moment difficile. Peu avant le coucher du soleil, on entassait la marchandise, biens, bêtes et enfants, dans une grange trop petite pour tout contenir. De sorte que les esclaves que nous étions, plutôt à l'aise dans la journée, passions la nuit dans des conditions d'entassement qui gâtaient notre santé... Un matin, les portes de la grange furent ouvertes non du côté de la ville, mais du côté des grèves. Muets d'inquiétude, nous avons longtemps suivi le ballet des hommes de peine, des Indiens qui chargeaient au pas de course le grand vaisseau à quai, dont j'apprendrais plus tard qu'il se nommait *Le Brisson*. Toutes les richesses d'un continent défilèrent devant nos barreaux : des sacs d'épices, de précieux grumes, des laques, des étoffes teintes et brodées, mais aussi des singes en cage, et des oiseaux... Nous, les petits esclaves, nous fûmes embarqués en dernier, au moment où le jour déclinait. Ce furent des Blancs qui connaissaient assez de mots en notre langue pour nous crier sèchement leurs ordres qui s'en chargèrent, armés de fouets.

De toute la cargaison humaine, j'étais assurément le spécimen le plus jeune et le moins disgracieux. Bien que assez grand pour mes cinq ans, et peut-être un peu décharné, j'étais joliment proportionné, aussi bien fait de corps qu'agréable de visage. Mes traits fins et délicats, presque féminins, s'illuminaient d'un regard assez vif pour accrocher celui des autres ; mes yeux noirs et mobiles faisaient merveille en cela. Or ces qualités, pourtant toutes extérieures, ne passèrent nullement inaperçues : à peine avais-je posé un pied sur le pont du *Brisson*, qu'un officier de bord m'extirpa en effet du lot des esclaves et, non sans veiller à ce que mes hardes fussent à peu près rajustées, me conduisit vers le château, à l'arrière du navire. Trois personnages se tenaient nonchalamment accoudés au bastingage, dont un homme de fort belle stature, que j'identifiai d'emblée comme le maître du navire. Mon estomac se noua ; les battements de mon cœur s'accélérèrent ; en pure perte. Car sans m'accorder plus d'attention qu'à une poterie, ces Messieurs se contentèrent, m'ayant tout juste jeté un regard lointain et blasé, de faire à l'officier des recommandations dans cette langue française que je n'entendais pas.

Je rejoignis donc mes compagnons d'infortune dans le ventre du *Brisson*.

Entre-temps ils s'étaient réparti les pauvres hamacs qui faisaient office de couchettes ; aussi bien je dus me contenter, pour toute paillasse, d'une pile de vieux sacs entassés dans un coin. Qu'importe, plus excités qu'effrayés à l'idée du départ, en enfants que nous ne pouvions nous défendre d'être encore, nous avons joué et lutté jusque fort tard dans la nuit ; de sorte que nous ne nous sommes endormis qu'au petit matin.

Or, dès l'aube, d'inquiétants craquements dans la coque du vaisseau nous tirèrent brutalement de nos rêves : cette fois, le navire faisait mouvement ! Les plus hardis d'entre nous se précipitèrent, par une échelle, vers une ouverture sur le dehors. Les deux plus âgés, qui devaient bien avoir treize ou quatorze ans, se hissèrent jusque-là au prix d'efforts acrobatiques et virent alors le port qui semblait s'éloigner. Notre bateau avait largué les amarres ; nous étions partis pour une traversée qui s'annonçait longue ; et les plus éveillés songèrent sans doute que certains d'entre nous ne reverraient plus jamais la terre ferme...

Emportés par un élan collectif où se mêlaient la curiosité et l'effroi, nous arrivâmes sans trop de peine à faire sauter le verrou fermant notre cale, puis à nous faufiler dans une coursive à la recherche d'un accès vers les ponts. A dire vrai cet élan fut bref, car tôt brisé. Deux gardes-chiourmes – ceux-là même qui, la veille, avaient procédé à notre embarquement – stoppèrent d'un rugissement menaçant notre petit groupe. Armés de queues de tigre, les deux cerbères fouettaient l'air en tous sens, non sans atteindre au passage quelques cuisses et quelques échines. Quand ils nous eurent refoulés dans notre prison, ils nous forcèrent à nous resserrer en une piteuse grappe dont ils firent plusieurs fois le tour, cinglant l'air de leurs badines en attendant l'officier en second qui les rejoignit pour procéder aux affectations provisoires.

Nous étions dix-sept esclaves et, en quelques instants, chacun se vit assigner une tâche précise. Les plus solides et les mieux charpentés furent cantonnés au pont, où ils devaient servir d'appoint à l'équipage pour les grandes manœuvres. Quatre ou cinq autres, choisis apparemment pour leur maturité, allèrent s'occuper aux cuisines des tâches indignes des cuisiniers attitrés. Quant au restant de la troupe, affecté à différentes parties du pont et des cales, ils furent sommés d'y entretenir la propreté la plus scrupuleuse. C'est à ce dernier bataillon que je fus affecté, quoique sans conviction : ma petite taille et ma constitution frêle ne laissaient pas augurer un bien grand secours de ma jeune contribution.

Si l'on m'en avait donné le choix, j'aurais préféré rester sur le pont, au soleil, au grand air, parmi la belle ordonnance des opérations de marine. Le pont, c'était la partie brillante, aérienne du navire, son versant présentable en quelque sorte. Mais à cause des faiblesses mêmes que je viens d'évoquer, l'officier préféra me reléguer, au tréfonds, au néant de la cale. Or la cale, c'était l'enfer. Il faut imaginer un labyrinthe infect de bois graisseux, mal éclairé, mal aéré, s'enfonçant toujours plus profond vers des réduits nauséabonds. La chaleur moite, les remugles écœurants des sécrétions humaines et animales, l'odeur aussi des denrées et des vivres en décomposition lente, tout cela formait, dans un tableau dantesque, une confusion détestable et mortelle. Plongé dans l'ombre insalubre de ce dédale, je crus un temps que je n'aurais jamais la force d'y survivre. Et cela d'autant moins que le vaisseau, quittant le Gange, avait atteint les eaux de l'océan Indien, où brisants, vagues et courants provoquaient maintenant un mélange insoutenable de roulis et de tangage.

Dans les premières heures, je ne fus pas le seul à vomir mes viscères. Je ne fus pas non plus le seul à me retrouver prostré dans le fond de la cale, pataugeant dans un flot d'immondices. Seulement, de tous ceux que la mer avait rendus malades, je fus assurément celui qui s'en accommoda le plus mal. Plongé dans l'obscurité, ayant perdu tout sens de l'équilibre, je sombrai vite dans une sorte de délire où mon esprit, divaguant, halluciné, faillit céder tout à fait. Cela dura deux jours et deux nuits – autant dire une éternité dont la seule évocation suffit encore à me nouer l'estomac. Deux autres jours de ce régime m'eussent tué, sans aucun doute. Mais le sort, ou la Providence, voulut que le second du vaisseau, descendu dans la cale inspecter de précieux plants que l'on destinait au Jardin du Roi, surprît mon agonie, et s'en inquiétât. J'étais trop jeune, trop sain, trop joli – en un mot trop monnayable – pour que l'on se permît de me compter aussi vite dans les pertes. Un mot de l'officier suffit pour que deux matelots, bien peu émus de mon piteux état, viennent me prendre et me porter jusqu'au pont supérieur. Là, après m'avoir libéré de mes fers, on me mit en état d'être examiné par le chirurgien du bord.

Ce praticien était un tout jeune homme au regard clair et bon, aux façons douces. Ses gestes attentifs, joints à l'air pur du pont et à la lumière du soleil, me ramenèrent à la vie dans le moment même où je la sentais s'échapper de mon corps. Le chirurgien-barbier manda l'un de mes compatriotes qui entendait un peu le français, pour qu'il traduisît les questions qu'il avait à me faire, ainsi que mes réponses. Ce bon génie se révéla assurément soucieux de ma survie, tandis que le second lui-même ne perdait pas un détail de la consultation ; or je sentis qu'il avait grande confiance dans le jeune barbier, et que tous deux s'accordaient à me souhaiter pour l'avenir une vie plus douce que celle que l'on menait dans la cale.

M'ayant fait avaler un cordial et je ne sais plus quelle mixture miraculeuse, le chirurgien quitta la cabine où l'on m'avait étendu, non sans prodiguer un certain nombre de recommandations que mon ignorance du français ne me permit pas de saisir. Cette langue me terrifiait en même temps qu'elle m'attirait ; les seuls mots que j'en discernais étaient « Allez vite ! » qui semblait être une sorte d'encouragement, et « Non-non » qui paraissait vouloir signifier l'interdiction. Pour le reste, les phrases que j'entendais prononcer à mon sujet me paraissaient d'autant plus menaçantes qu'elles me restaient inconnues.

Néanmoins, je ne fus pas long à comprendre, que ma survie et ma santé étaient devenues, pour le second, une affaire personnelle. Plusieurs fois par jour, il venait se faire une idée de mon état dans la petite cabine où je me trouvais désormais abrité, n'hésitant pas à me faire ingurgiter lui-même d'infectes potions recommandées par le chirurgien-barbier. Assez vite, il en vint même à me prodiguer des caresses et des petites tapes affectueuses, comme on le ferait à un chiot convalescent ; puis il se mit dans l'esprit de m'inculquer quelques mots de sa langue, dans un but que j'ignorais encore. « Oui, non, bonjour, merci », mais aussi « Monsieur, bien, mal, hier, ce jour, demain » me constituèrent assez rapidement un langage rudimentaire, certes, mais précieux au sein de ce monde hostile.

Quand je fus tout à fait sur pied, le second m'autorisa même à faire, sous sa surveillance, de courtes promenades sur le pont. C'est ainsi que je découvris ce gros navire jaugeant sept cents tonneaux, emportant près de cent cinquante hommes d'équipage, armé de vingt canons – quoique percé pour vingt-quatre. Quelques passagers payants étaient logés à bord, dans ce qu'on appelle la « sainte-barbe », qui est la remise des cartouches et des instruments d'artillerie. Ils paraissaient un peu perdus, eux aussi, sur un bâtiment aussi grand, paré sans peine pour des campagnes excédant les vingt mois...

Mes forces retrouvées me permirent de monter aux filets le long du mât central, jusqu'à une plate-forme à mi-hauteur d'où le navire paraissait soudain diminué de moitié. Ce n'est qu'une fois perché là-haut que je réalisai pleinement l'étrange situation dans laquelle nous nous trouvions ; vu de si haut, le vaisseau n'était qu'un îlot minuscule, entouré de tous côtés par l'infinité des flots. Du coup, cette île-bateau, si fragile sous mes pieds, me devint plus chère que tout au monde, et je me mis à aimer ce que la veille encore je m'étais figuré détester.

Au vrai, la faveur dont je ne tardai pas à profiter n'était pas sans contrepartie. Sous couvert en effet de protéger un esclave de premier choix en vue de sa vente en Europe, le second avait fait main basse sur un enfant qui, pour de tout autres raisons, lui plaisait fort. Je n'eus malheureusement pas le temps d'en douter. A peine étais-je remis que l'officier exigea, sous un vague prétexte, que je vienne dormir dans sa propre cabine. Et le soir même il me fit comprendre quel serait le prix de sa protection. Un prix outrageant et terrible, si l'on songe qu'alors je n'avais pas six ans, et que rien, de près ou de loin, ne m'avait préparé à de pareils abus sur ma personne. A tout prendre, j'aurais sûrement préféré rejoindre, dans la cale, ceux de mes compagnons qui n'avaient pas connu le privilège affreux et redoutable de se trouver « protégés »...

Car pour le reste, c'est peu dire que je bénéficiai incontinent d'un traitement de choix. Dès que mes façons coutumières et mon entendement de la langue le permirent, je me retrouvai affecté au carré, dans les somptueux appartements du capitaine, pour y assurer l'ordinaire du service à tous les repas. Soit qu'ils n'aient pas la moindre idée de ce que je vivais par ailleurs, soit qu'ils aient choisi de ne s'en préoccuper en aucun cas, les hôtes du carré complimentaient sans relâche le capitaine en second sur les progrès considérables qu'il avait obtenus de ma piètre nature, et sur les prodiges que son éducation renforcée paraissaient produire sur moi. Seuls le barbier et, dans une moindre mesure, l'aumônier paraissaient conscients du calvaire qu'il me fallait endurer... Un soir, à table, alors que mon maître et bourreau passablement ivre me prenait par le cou et, devant tout le monde, trouvant cela du dernier drôle, essuyait sa bouche sur mon petit visage révulsé, le jeune chirurgien eut l'humanité de ne pas participer à l'hilarité générale. Foudroyant le second du regard, il sortit précipitamment de table, et il eût même quitté la pièce si le capitaine en personne, le rappelant à ses devoirs, ne lui avait intimé l'ordre de se rasseoir.

Ce capitaine était un homme grand et fort, plutôt plus âgé que les autres, et dont émanait une force étonnante. Toujours somptueusement vêtu, rasé et poudré comme en ville, il paraissait appartenir à une espèce étrangère à son navire. Jamais il ne m'adressait la parole, allant même jusqu'à passer par un intermédiaire pour me demander à boire. Mais son regard, en revanche, croisait souvent le mien ; et sans que je puisse prétendre avoir tôt retenu son attention, il m'avait semblé y lire plusieurs fois une sorte de sympathie vague et amusée. J'ignorais cependant qu'un jour je lui devrais mon salut.

Rien, à terre, ne saurait donner une idée de l'euphorie qui s'empare d'un équipage à l'annonce d'une côte, même lointaine. Aussi est-ce par des cris de bonheur enthousiastes que, après plusieurs semaines de navigation, cette grande nouvelle fut accueillie à bord de surcroît, nous étions en vue de l'île de France. Pour la plupart des esclaves, c'était là que devait s'achever l'éprouvante traversée. Sous la tutelle inflexible du second, leur grappe enchaînée s'en alla rejoindre, sur le débarcadère, toute une cohorte de Noirs arrivés d'Afrique la veille. On les y parqua dans l'attente de la venue des riches propriétaires de plantations qui, le jour même, devaient les acheter aux enchères.

Pour moi, je vis tout cela juché sur les épaules de mon barbier qui avait entrepris de me faire visiter Port-Louis. Tandis qu'il marchait dans l'agitation bruyante des quais et des ruelles, je me félicitai que ses fonctions eussent accaparé mon officier tortionnaire. Les sévices qu'il m'obligeait à endurer n'avaient en effet point diminué avec le temps ; et si le chirurgien ne pouvait que les deviner, du moins ne faisait-il pas mine de les ignorer. Aussi s'appliquait-il, chaque fois que l'occasion s'en présentait, à me rendre la vie moins rude, à défaut d'être vraiment douce. C'est ainsi qu'il se divertit pendant l'escale, de me voir découvrir toutes sortes de choses nouvelles pour moi, comme ces étranges montagnes qui barraient l'horizon, et me laissèrent la bouche ouverte et les yeux écarquillés.

Après deux semaines, notre vaisseau dut cependant reprendre la mer, et moi mon service de jour et mon service de nuit ! Cependant, à mesure que je comprenais mieux les ordres que l'on me donnait, je devenais en tant qu'être humain après tout plus intéressant, semblaient penser ces Messieurs du carré. Et le capitaine lui-même consentit à me dire quelques mots, à me faire de petites facéties, à me tirer les oreilles. J'apprendrais un peu plus tard qu'il s'appelait Monsieur de La Briselaine. Assez vite, je devins pour lui une sorte d'animal familier, qu'il avait plaisir à retrouver dans son particulier. C'est à ce moment qu'il décida de me nommer Vivi, pour se moquer de ma manière de dire oui, oui.

Désormais, je fis tout mon possible pour me montrer agréable à ce nouveau maître ; si bien qu'après peu de jours il voulut que le second m'abandonnât entièrement à son service et me fit dormir près de son valet de chambre, aux portes mêmes de sa cabine. Bien entendu, ni l'officier ni le valet de chambre ne furent ravis d'une telle décision ; cependant tout le monde dut plier et s'en accommoder. Dois-je préciser que le capitaine n'avait à mon égard aucune des exigences corrompues de son subalterne ?

Dès lors délivré d'un grand poids, je pris bientôt mes aises dans les appartements du capitaine. Grisé par ma liberté nouvelle, je me mis à y faire quelques bêtises : je tirais les plumes du mainate, renversai de l'encre sur une carte, cachai des instruments de navigation... Loin de s'en offusquer, le capitaine me passait tout, comme on le ferait des incartades maladroites d'un petit chien. Il riait de mes frasques et en faisait rire tout le monde... Disons-le tout net : j'étais en passe de devenir la mascotte de ce vaisseau.

Nous passâmes Madagascar, puis le cap de Bonne-Espérance, et ne fîmes notre deuxième escale qu'à l'île de l'Ascension, en plein océan. On y pouvait distinguer, très lointaines, les côtes du royaume de Kongo. Comme le navire, trop chargé, avait un fort tirant d'eau, nous nous contentâmes de mouiller à quelques encablures du port, que de rares chanceux parmi nous gagnèrent en chaloupe, à la rame. Je ne fus pas du nombre, le capitaine ayant estimé que j'avais mal récité ma leçon de la veille. Il faut dire que de plus ou moins bon gré, le second persistait à me vouloir donner des leçons de français ; pour ma part, je m'y appliquais sans constance, mais non sans talent ; de sorte qu'à l'approche des Canaries je pouvais presque tenir une ébauche de conversation.

Le chirurgien-barbier, que j'appelais « Papié », m'encourageait à apprendre le plus de mots possible, sachant que mon éducation serait déterminante dans la destination qu'à la fin du voyage on me trouverait. Chaque fois qu'il en avait le loisir, il s'évertuait même à m'enseigner un peu de lecture. La justice m'oblige à dire qu'il était aussi bon maître que j'étais mauvais élève ; moi qui, par la suite, devais devenir un lecteur assidu, que de mal ai-je pu avoir à me familiariser avec les signes !

Bien plus tard, à Versailles, quand mon précepteur, le père Bruneau, eût repris si légèrement la charge de me former à bien lire et écrire, je repensai souvent aux efforts acharnés de Papié pour m'en inculquer les rudiments. Mon jésuite de précepteur ne montrait pas le même dévouement ; loin s'en faut, quand il remontait plus ou moins ivre de sa cave, ou s'endormait sur mon épaule pendant les leçons...

Lorsque, après plus de vingt semaines de voyage, notre navire parvint en vue des côtes françaises, l'idée d'avoir à le quitter me terrifia. Après y avoir enduré l'enfer et le purgatoire, je n'étais pas loin, en effet, de le considérer à présent comme une sorte de paradis. En tout cas il était devenu mon univers, mon îlot de quiétude ; il était un petit coin du monde dont j'avais fini par connaître les détails. Dans ses rassurantes limites, la protection générale dont je jouissais m'assurait, sinon l'impunité – j'avais dû plusieurs fois grimper à la corde en expiation de vétilles –, du moins une certaine quiétude.

C'est dire si, contrairement à l'équipage, je subis avec satisfaction notre mise en quarantaine au large de Bordeaux. Nous n'étions pas les seuls, et l'estuaire de la Gironde était alors encombré d'une nuée de navires ayant jeté l'ancre et plié les voiles. Pour occuper les hommes, des concours de chaloupes furent organisés, mais aussi des paris stupides, comme de plonger depuis les plus hautes mâtures. Plusieurs accidents survinrent, dans l'indifférence à peu près générale, tant l'équipage était au bord de l'exaspération.

Après de longues journées d'attente passées dans une oisiveté malsaine, l'on fut donc soulagé de voir s'avancer la galiote qui consuidait au *Brisson* un envoyé de l'Amirauté. Un officier de marine se hissa jusqu'au pont supérieur, salua le capitaine et son état-major, fit une rapide visite du navire et, se déclarant satisfait, exhiba un ordre écrit libérateur. Une clameur de joie s'éleva de toutes parts. Or, tandis qu'il s'apprêtait à quitter le bord sous les vivats et les bravos, l'officier bordelais marqua un léger temps d'arrêt en passant à ma hauteur et, m'ayant souri bonnement, me passa la main dans les cheveux. Les marins prirent ce geste pour un signe de bienvenue adressé à tout le bateau, et les hourras redoublèrent, que j'eus la fatuité de prendre un peu pour moi. Dans les yeux de Papié, se lisait pourtant une nuance étrange, dont on ne pouvait dire si elle exprimait de la crainte ou bien de la confiance.

— Allons, dit le second à quelques pas de moi. Cap sur Bordeaux, matelots !

3

Papa-Maréchal

Ce fut aux derniers feux du couchant, lors d'une ultime soirée de navigation paisible, que *Le Brisson*, après avoir remonté la Gironde, entra dans le port de Bordeaux. De grands bûchers se consumaient au sommet des hautes lanternes de pierre qui signalaient l'avant-port. Au-delà, ce que je distinguai, tétanisé, c'étaient les premiers contours d'un monde nouveau pour moi, un univers tissé de puissance et de richesse, sans doute, mais aussi de dangers et de pièges. Pour la première fois, je découvrais ébahi, à peine visibles au loin, ces grandes constructions classiques dont l'Europe me paraissait pleine. La belle ordonnance de ces façades, et tout ce que j'apercevais de rues et de places illuminées, me parut magnifique, irréel, mais aussi tout empreint d'une raideur grandiose qui n'annonçait rien de bon.

En dépit de l'heure tardive les immenses quais grouillaient encore d'une faune de marins, de courtiers et de porteurs de toutes nations, quoique l'anglaise y fût de loin la mieux représentée. S'y mêlaient quelques femmes de mauvaise vie, dont les exhortations plus ou moins ordurières donnaient à l'ensemble, parmi les brûlots fumants, le ton et l'allure d'une taverne à ciel ouvert. Des familiers de l'équipage, avertis de notre arrivée, s'étaient rassemblés sur le quai, où ils manifestaient, bras levés, la plus vive émotion, sans pour autant troubler nos manœuvres d'approche. Quand enfin le vaisseau fut amarré et stabilisé, le débarquement put commencer ; il allait se prolonger toute la nuit et jusqu'au lendemain soir. Ce fut une agitation plus grande encore que lors du chargement au Bengale tant il y avait d'amateurs qui se mêlaient aux courtiers quand un navire arrivait des îles...

C'est ainsi que je vis bien mieux qu'au départ en quoi consistait le gros de la précieuse cargaison du *Brisson*. Parmi nombre d'articles de luxe, où les porcelaines se taillaient la part belle, l'on extirpa des cales des sacs entiers de poivre et de muscade, du thé vert en caisses, de lourdes balles de café de Moka, sans parler d'une quantité infinie de soie écrue de Nankin, et toutes sortes d'essences de bois des îles. Par contre, les animaux exotiques n'étaient plus très nombreux, car la plupart n'avaient pas survécu au voyage ; quant aux esclaves, en comptant la dizaine que nous avions débarquée aux Mascareignes et les deux qui avaient péri du scorbut, il n'en restait guère, à vendre, que cinq – dont moi.

Pendant le premier jour à quai, je m'étais vu consigné dans les appartements de Monsieur de La Briselaine. S'il n'eût tenu qu'à moi, je n'en serais jamais sorti. Seulement vers le soir, alors que je m'apprêtais à dormir à mon ordinaire, un officier de quart remarqua ma présence par un oculus et, faisant irruption dans la salle où je couchais, prétendit m'arraisonner. Sautant prestement par la seule ouverture à ma portée, je tentai de me sauver vers le pont du haut, sans penser qu'il suffisait à cet homme agile de ressortir aussitôt pour m'en barrer le passage. L'officier me serra violemment par le bras ; et déjà il s'apprêtait à m'envoyer rejoindre mes pareils quand, par bonheur, le capitaine, m'apercevant depuis la passerelle, ordonna que l'on me confiât à ses soins. Il comptait, dit-il, m'emmener en ville, dans son hôtel de famille. C'était une chance inouïe, dont je n'eus point conscience sur le coup. Pour l'heure, en effet, ne sachant trop où l'on me conduisait, je n'avançais que la mort dans l'âme, titubant comme un ivrogne. D'avoir si longtemps navigué, il me paraissait que le sol se dérobait sous chacun de mes pas, et que mes jambes s'ingéniaient à me faire trébucher.

Mon entrée dans la maison du capitaine ne fit pas moins d'effet que si l'on y avait produit un éléphant blanc. Dieu sait pourtant que je ne devais pas être le premier « Nègre » à en passer le seuil ; du moins étais-je le plus jeune, sans doute, et le moins farouche... Pour le coup, tout le personnel accourut à l'office me voir prendre un encas, avec la même curiosité que si j'avais été un singe doué de parole, et dès que l'on sut que j'entendais assez de français pour en prononcer dix mots, il me fallut les articuler sans prendre même le temps de respirer. Heureusement l'exhibition ne dura guère, et le capitaine, que cette agitation des siens n'amusait en rien, sut les rappeler à la bienséance. Il me fit vêtir comme un enfant de sa propre maison et, sans égard pour mes réticences, insista même pour que l'on me chaussât.

C'est ainsi attifé que, dès le lendemain, je fus conduit, dans un étrange fourgon, jusqu'à l'orangerie du palais. Le gouverneur de Guyenne était alors le duc de Richelieu, maréchal de France, premier gentilhomme de la Chambre du Roi. Un seigneur de cour dont le rôle controversé lors de la récente guerre n'avait point entamé la popularité bordelaise. On le disait le roi de cette province, et le fait est que lui-même ne se voyait pas autrement. Or, ce puissant libertin se trouvait justement de séjour à Bordeaux, et il avait manifesté le désir de contempler certains trésors fraîchement débarqués des Indes. Il faut croire que j'étais de ce nombre, puisque aussi bien je fus exposé chez lui comme un trophée, parmi d'autres merveilles de mon pays.

Notre singulier étalage avait requis des heures de patiente préparation. Des hommes de bord, tous choisis par le capitaine, avaient transporté, installé puis mis en valeur un lot impressionnant de plantes rares, d'oiseaux chamarrés, de nacre en coquille, de soie très pure, de papiers peints en feuilles, de fines porcelaines et de petits cabinets vernis. Moi-même j'avais été lavé, coiffé, parfumé de la manière la plus insupportable, du moins pour un enfant de cinq ans guère plus, à demi sauvage... Tout cela s'éternisa donc, par une matinée de fin novembre bien trop froide à mon goût. Enfin, après des heures d'une attente interminable, nous vîmes entrer dans l'orangerie un petit groupe excessivement bruyant, entourant un vieil homme que ses laquais portaient en chaise. A ses côtés, je reconnus mon capitaine qui, tout émoustillé, se mit à faire l'article comme un marchand de nouveautés. Un peu en arrière, mon cher Papié se fondait dans la suite, prêt à fournir des éléments utiles sur l'entretien des plantes rares ou la technique des étoffes imprimées. Quand il croisa mon regard pour la première fois depuis que j'avais mis pied à terre, je me sentis rassuré et, n'y pouvant tenir davantage, trompant la vigilance de l'homme qui me tenait en longe, je m'élançai vers lui pour l'embrasser.

Mon élan fut brisé net par une canne d'ébène à pommeau d'ivoire qui, d'un trait, avait surgi de la chaise à porteurs pour immobiliser ma course. Un murmure parcourut l'assistance. Le capitaine de La Briselaine, visiblement gêné, prit la parole pour me présenter ; pendant ce temps, le bout de la canne s'appuyait tantôt au creux de mon épaule, tantôt sous mon omoplate, pour me faire tourner et retourner sur moi-même... La voix du Maréchal dit quelques mots ; le capitaine s'inclina respectueusement, et la visite se poursuivit ; déjà l'intérêt du petit groupe avait roulé sur un autre article.

Quelques jours plus tard, je fus conduit de nouveau jusqu'au palais du gouvernement, où m'attendait un convoi de mules attelées. Les voitures croulaient sous les meubles et les tentures, et je ne sais ce qui m'impressionna le plus, de ces bêtes étranges ou du chargement écrasant qu'on leur infligeait. Toujours est-il que je tremblai fort. Le chirurgien, qui avait tenu à m'accompagner jusque-là, s'en rendit compte ; il m'enveloppa dans sa pelisse de drap et, me serrant contre lui, me dit des choses que je ne compris pas bien, mais dont le ton se voulait confiant, bien sûr, et rassurant. Alors qu'il me remettait à la gouvernante chargée par le Maréchal en personne de me conduire à bon port, je vis cependant que deux grosses larmes avaient roulé sur ses joues. Je veux croire que dans ce parler qui m'était encore bien étranger, Papié m'avait souhaité bon voyage, et longue vie... Je ne devais jamais le revoir, ni aucun de ceux qui m'avaient, avec lui, ramené de si loin.

C'est peu dire que la campagne française me sembla singulière, lors de ce voyage d'automne au froid précoce. J'en découvrais, étonné, les reliefs, les forêts, les labours et les vignes... Les routes que nous empruntions, larges en général, et bien pavées, me paraissaient tenir du prodige ; jamais dans mon Bengale je n'avais vu d'ouvrage aussi gigantesque. Dans le même temps, l'étroitesse de ces paysages me frappait par cette sorte de mesure et d'humilité avec lesquelles les maisons, dans chacun des hameaux que nous traversions, se resserraient autour de clochers parfois minuscules. Tout cela faisait finalement pour moi un spectacle exotique bien digne assurément de me faire oublier les incertitudes liées à mon état.

Mais ce qui, de tout le voyage, devait me laisser le souvenir le plus marquant, fut le froid qui paraissait régner sans partage sur tout le pays de France. Un froid banal, pas très vif à la vérité, mais tenace parce que humide, et dont la morsure insidieuse semblait ne devoir jamais prendre fin. La gouvernante, somme toute accorte et pleine d'entrain, ne paraissait guère en subir l'atteinte – quoiqu'elle fût, et de beaucoup, moins couverte que moi. Sans trop faire attention à ma personne, elle me tenait, par une cordelette attachée à mon poignet, dans une proximité trop immédiate pour ne point déceler les frissons qui, en dépit de la pelisse, me parcouraient l'échine. Après m'avoir emmitouflé dans un carré de laine qu'elle avait tiré du coin d'une malle, elle décida qu'il n'était que temps de trouver un vêtement chaud à ma taille ; et l'on décida que notre petit convoi ferait une halte imprévue, en la bonne ville d'Angoulême, devant l'échoppe d'un tailleur.

Je sortis de là muni d'un bon manteau chaudement doublé, et profitai d'autant mieux de la route, par la suite, que je souffrais moins du climat. Le soir, nous faisions étape dans des relais de poste qui, tout bruyants de l'agitation du passage, offraient un havre médiocre à notre compagnie. Mais pour peu que la chère fût honnête et la cheminée bien garnie, les repas qu'on y servait effaçaient néanmoins le gros des fatigues de la route. Au reste j'en profitais moins que d'autres ; car voulant me préserver de la curiosité des voyageurs, l'on avait soin de me tenir voilé chaque fois que je devais apparaître en public.

Ce fut à Poitiers, sur le bord de la rivière du Clain, que nous fîmes la jonction avec le convoi venu de Paris nous relayer. Et de nouveau, tout changea. D'une carriole à peine équipée, tirée par des mules, je passai dans une voiture plus confortable, attelée de chevaux superbes, au nombre de quatre. L'allure des gens aussi avait changé, et leur accent, et jusqu'à leur mise. Ma grosse gouvernante, toute ronde et chantante, fut remplacée par une sorte d'escogriffe un peu sec, un peu raide et pas riant du tout, que tout le monde appelait Maître Henri et qui, à Paris, chez le Maréchal, régnait, comme je devais bientôt l'apprendre, sur tout le personnel de maison. Cet homme-là n'avait jamais servi qu'un seul maître, quoique dans différents emplois et à des rangs divers ; le regard vide, les traits marqués sous des sourcils très bruns, il paraissait aussi peu capable d'astuce que de rouerie. Du moins devait-il être un parfait serviteur, dévoué comme une ombre aux caprices de son maître. Du voyage, qui pourtant fut très long, il ne me prêta pour ainsi dire aucune attention, et paraissait si désolé de ma société, qu'on eût juré qu'il voyageait en compagnie d'un animal incongru.

L'arrivée à Paris me parut moins spectaculaire, je crois, que l'entrée dans le port de Bordeaux. Il est vrai qu'il faisait encore une fois presque nuit quand nous atteignîmes les hauteurs surplombant la capitale, de sorte que j'en manquai presque toute la perspective. Surtout, mon transfert dans une troisième voiture, accourue à son tour à nos devants – cette fois un vrai carrosse bien suspendu aux armes du Maréchal –, accapara le peu d'attention dont je fusse encore capable.

C'est au relais de Montrouge que l'escogriffe m'avait présenté d'un mot au gros intendant de l'hôtel, vautré sur la banquette capitonnée de la nouvelle voiture. Je ne le trouvai guère plus causant que l'autre ni plus amène lorsque je ne sais pourquoi, me voyant lorgner au carreau dans la direction de Paris, ce méchant homme, qui s'appelait Loumel, tira vivement le rideau sous mon nez. Je ne vis donc rien du chemin jusqu'à la cour de l'hôtel d'Antin, où la voiture vint se ranger au pied des petites marches menant au vestibule. Le gros homme, toujours un peu rude, me conduisit droit à une sorte d'antichambre, éclairée seulement de maigres bougies, où, d'un air de défiance qu'il ne chercha pas même à dissimuler, il me pria de l'attendre un moment. « Sans toucher à rien », précisa-t-il. Je hochai vivement la tête pour le rassurer. Sur quoi je demeurai là, seul, assis au bord d'une opulente bergère, jusqu'à ce que la fatigue et l'envie de fuir mes angoisses me fissent me rouler en boule comme un petit chat, pour somnoler un peu. Jamais encore je ne m'étais trouvé si seul, si démuni, si éloigné des miens.

Ce fut un cri perçant qui m'éveilla. Me redressant soudain dans la pénombre, je découvris avec effroi la fillette qui l'avait poussé. En vérité, nous nous faisions peur mutuellement. Elle devait redouter la noirceur de ma peau, quand j'avais tout lieu, pour ma part, de craindre les conséquences de son tapage. De fait, la porte de la petite pièce ne tarda pas à s'ouvrir ; Maître Henri – qui se révélait être le père de la fillette – fit irruption et, devant que nous eussions pu réagir, s'empara de sa fille et la plaça comme un ballot sous son bras, tandis que de l'autre il me retenait par l'arrière du col, dans la posture qu'on impose d'ordinaire aux lapins.

L'homme nous descendit ainsi jusqu'aux cuisines de l'hôtel, vastes et chaudes, emplies d'effluves appétissants, de bruits secrets, de lumières douces... D'emblée j'aimai cet antre mystérieux que je sentais chargé de vie, avec son incroyable ensemble de fours, de foyers, de broches et de potagers. Et ces cuivres rutilants, dont l'éclat rose se reflétait au sol dans celui plus sombre des carreaux de terre cuite bien cirés ! Il me parut que rien n'était supérieur à cela en beauté, et je demeurai saisi, comme interdit, devant un spectacle que mes bientôt six ans trouvaient incomparable. Admis le soir même à une table proche de celle du personnel, je n'y laissai point ma part, et engloutis de bel appétit les mets excellents que l'on m'offrit. Ce fut là mon premier vrai repas en France.

Assise une chaise plus loin, Marie, la petite fille que j'avais tant effrayée dans l'antichambre, commençait à se faire à mon teint sombre, qu'elle s'imaginait provenir d'une infirmité monstrueuse ; un drôle de sourire aux lèvres, elle se penchait sans cesse maintenant pour contempler mon visage, et en rire. Et à la vérité, cela me serrait le cœur.

Je fus logé dans l'une des chambres des marmitons, sous les combles. Ma paillasse était propre, mon placard à peu près sain... Le premier matin, j'eus la surprise d'être réveillé, de nouveau, par la petite Marie qui, armée d'un chiffon mouillé, avait entrepris de me débarbouiller pour,

disait-elle, ôter le noir de ma face. Ma protestation éner-
gique mit une fin prématurée à son entreprise ; la fillette
s'en fut en pleurant plus fort encore que la veille... Heureusement, la similitude des âges eut bientôt raison de la dis-
semblance des figures ; et très vite Marie devint mon alliée
dans une place qu'elle connaissait fort bien, pour y être
née. Un jour, elle m'apportait au réveil des pâtes de fruits
encore chaudes, qu'elle avait soutirées au cuisinier ; une
autre fois, c'étaient des osselets dont elle se faisait une joie
de m'enseigner l'usage. Une complicité charmante s'instau-
rait entre nous ; et bientôt je n'imaginai plus de vivre loin
d'elle. Nos jeux me ravissaient, et je faisais des efforts
surhumains pour entendre ce français qu'en dépit de son
âge elle maîtrisait déjà parfaitement. De fait, mes progrès
en ce domaine furent assez rapides ; et après quelques mois
à peine, Marie pouvait me faire frémir et même pleurer,
simplement en me lisant ces histoires de loups-garous dont
elle était friande...

Parmi tout ce que m'apprit ma nouvelle amie, il y avait
aussi la désobéissance. Combien de fois Marie m'aura-t-elle
entraîné à ses trousses dans les garde-robes interdites du
maître des lieux, afin d'y essayer les mille colifichets qu'on
y pouvait trouver ? Combien de fois m'aura-t-elle conduit
dans des lieux très défendus, dont cette forge où je me
brûlai méchamment un soir ? Ce qui me valut un panse-
ment au bras plusieurs jours de suite. D'une manière générale, Marie aimait outrepasser les ordres et les règles, sauf
quand ils émanaient directement de la bouche du Duc lui-
même. Imitant en cela les filles habituées de la couche du
vieillard – quoique avec une sincérité peu comparable à la
leur –, la petite appelait le duc de Richelieu « Papa-Maréchal ». Elle disait ces mots si souvent, et avec tant de cœur,
qu'à la fin je me mis à les dire aussi ; pour moi comme pour
Marie, le premier gentilhomme de la Chambre n'était donc
plus que « Papa-Maréchal »...

Six mois avaient passé, quand au début de l'été Marie, tout émoustillée, vint me trouver à la buanderie où j'aidais nos lingères et, m'embrassant comme du bon pain, m'annonça, les larmes aux yeux, que Papa-Maréchal était attendu à Paris pour le lendemain. La nouvelle m'effraya plus qu'elle ne me réjouit ; car au contraire de ma camarade, je connaissais bien mal le duc de Richelieu ; au vrai, le peu que j'en avais vu à Bordeaux m'avait semblé diablement inquiétant. Dans ma mémoire, son souvenir se confondait avec une canne d'ébène à pommeau d'ivoire, symbole d'une autorité farouche et rigide.

Par chance, les costumes qu'on avait commandés pour moi chez le tailleur attitré de la maison étaient prêts. Je me rappelle le plus somptueux d'entre eux, aussi nettement que si je l'avais encore sous les yeux : de soie moirée dans de délicats tons de parme, il était brodé sur toutes les tailles de perles nacrées, et accompagné de souliers assortis. Rien n'était plus magnifique à voir, et je devais retenir mes larmes tandis qu'on m'en parait, religieusement, à la façon d'une idole. Marie, qu'une secrète envie de si beaux atours poussait à me tourner en ridicule, tira si bien sur mes chausses qu'elle finit par me déséquilibrer. Le sort voulut, pour son malheur, que je me prisse les pieds dans le tapis au moment même où Maître Henri ouvrait la porte. Fort courroucé, il consigna sa fille dans sa chambre sous les toits, et me sermonna copieusement en partage. Commencée par des rires, ma séance d'habillage s'achevait donc dans les larmes... Je vis avec chagrin qu'on sanctionnait Marie pour un péché véniel, dans un moment où son excitation de revoir le Maréchal rendait la punition bien cruelle.

A deux heures, l'intendant exigea que tout le service se retrouvât en rang d'oignons dans la cour. La livrée du Duc était d'un rouge assez vif orné de galons dorés, et je dois dire que cette couleur trop vive m'indisposait assez. Elle me rappelait avec force l'étrange femme de mes rêves, accompagnée de son cortège d'inquiétude et d'impressions douces-amères. Inspectant les mains et la tenue de chacun, Monsieur Loumel en profita pour réitérer des ordres que tout le monde paraissait connaître par cœur et que, pour ma part, je ne compris pas bien. J'aurais eu grand besoin de Marie à mes côtés, pour m'en traduire en deux mots la substance... Cette journée devait se passer en préparatifs infinis, transformant la maison en caravansérail ; plus justement, on aurait dit un vaste théâtre dont on eût peaufiné les décors en attendant le soir de la première. La maisonnée s'endormit tard cette nuit-là, et pas avant que le gros intendant n'ait lui-même inspecté les moindres recoins. Pour moi, je ne dormis pas du tout ; je songeais autant à la pauvre Marie, punie pour une vétille, qu'au vieux Maréchal, capitaine apprécié de ce vaisseau de pierre, et dont l'arrivée imminente avait su porter mon inquiétude à son comble.

Je n'étais point au bout de mon attente. Toute la matinée du lendemain, nous restâmes encore sur le qui-vive, guettant au-dehors le moindre bruit de sabots martelant les pavés. Sur les coups de midi seulement, quand personne n'y croyait plus, l'on ouvrit en grand le porche de l'hôtel, pour que le carrosse du Maréchal, tiré à six chevaux la tête ornée de plumets, pût faire une entrée fracassante. Tandis que des coureurs les attrapaient par le mors, un valet de pied se précipita, un escabeau à la main, pour faciliter la descente de voiture. Je tremblais de tous mes membres.

Les premières à sortir furent deux jolies dames fort jeunes et qui, de l'humeur la plus gaie, se récrièrent sur la magnificence de l'accueil, tandis que le vieillard, aidé par un valet de chambre, s'extirpait à son tour du carrosse. Il paraissait un peu perclus, un peu froissé, mais finalement ravi de se retrouver en terre civilisée. Comme un homme en danger qu'on eût tiré d'un mauvais pas, il étreignit son maître d'hôtel et son intendant de la manière la plus chaleureuse et, offrant ses deux bras aux jeunes dames qui l'accompagnaient, disparut à l'instant dans la maison.

Je ne pus me retenir de songer qu'on avait fait bien des cérémonies pour un événement si prompt, et que la solennité d'un pareil retour n'était en rien à la hauteur de ses préparatifs. Assez désabusé, je crois, je montai bien vite vers les combles pour dire à Marie ce que nous avions eu le temps d'apercevoir. Il me fallut tout raconter trois fois, en insistant sur la mine et l'état de Papa-Maréchal... Après quoi ma petite compagne voulut bien se dérider, jusqu'à entreprendre une partie d'osselets. C'est encore Maître Henri qui nous interrompit. Il était monté nous ordonner à tous deux de rejoindre, à l'étage noble, l'intendant de l'hôtel. Monsieur Loumel nous attendait en effet sur le palier du premier étage, dans un état de grande nervosité ; il suait à grosses gouttes et, avec un mouchoir brodé, s'essuyait constamment les tempes et la nuque. D'un geste malhabile, il tenta de rajuster mon col défait et, veillant à ce que le bonnet de Marie fût correctement mis, nous intima de le suivre sans faire de bruit.

Nous entrâmes donc sur ses talons dans cet appartement dont j'avais aperçu plusieurs fois les magnificences, mais sans pouvoir jamais les contempler de près. La richesse des boiseries sculptées, l'épaisseur des tapis, la somptuosité du mobilier, la multiplicité des miroirs qui reflétaient les flammes des bougies, tout concourait au confort de ces pièces. Je n'y distinguais alors rien de plus. Nous traversâmes deux salons, jusqu'à une porte fermée derrière laquelle on entendait des rires de femmes. Avant que l'intendant ait eu seulement le loisir d'y frapper, l'un des battants s'ouvrit pour livrer le passage aux deux dames que j'avais vues sortir du carrosse, toujours suivies du vieil homme, à présent en bras de chemise et le teint congestionné. Marie s'abîma aussitôt dans une révérence, et je fis de même, plus ou moins adroitement. Papa-Maréchal ne réagit nullement mais, sans nous parler directement, posa à Monsieur Loumel un tas de questions qui me parurent en rapport avec mon état de santé. Marie s'enhardit alors et, sous le regard alarmé du valet, s'approcha du maître pour lui donner un baiser. Le Maréchal reçut l'hommage avec bonté, mais sans effusion ; puis, nous ayant passé à tous deux la main dans les cheveux, il fit comprendre d'un signe que l'entretien avait assez duré. Comme nous allions sortir, l'une des deux dames me tira par la basque de mon habit et, se targuant du précédent de Marie, me demanda un baiser. Je m'exécutai docilement, ce qui les fit rire tous les trois. Aujourd'hui, je crois pouvoir affirmer sans mentir que les jolies dames en question étaient des filles proposées au Maréchal par quelque entremetteuse bien en cour, la Gourdan ou la Dhomart...

Dans la soirée, je soupais à l'office avec les jeunes gens quand l'intendant, plus nerveux que jamais, revint me chercher. Le Maréchal, expliqua-t-il, souhaitait me parler. C'est à ce moment que Monsieur Loumel s'aperçut que j'avais taché mon revers. Il entra dans une rage noire dont les femmes du service firent injustement tous les frais. On entreprit de camoufler la tache, à défaut de la pouvoir escamoter ; mais on eut beau faire, il en demeura une auréole très grosse et fort visible. De sorte qu'à peine introduit dans la salle à manger ducale, il ne fut plus question que de cela. Soudain ivre de colère, le Maréchal se déclara choqué qu'on m'eût laissé l'approcher dans une tenue si négligée ; il incendia l'intendant qu'il eût frappé de sa canne s'il n'avait jeté celle-ci au plus loin. J'étais, comme on l'imagine, au dernier stade de la terreur et cela dut se voir assez pour qu'un convive le fît remarquer au Duc. Aussitôt, Papa-Maréchal se radoucit, prit le temps de terminer son pigeonneau à la cuiller, l'un des rares mets que sa bouche édentée lui permettait encore d'avaler... Puis, se levant de table, il me tendit sa main pour me guider jusqu'à un salon en retrait, meublé très richement. Je crois bien que je tremblais comme une feuille.

D'une voix devenue douce et caressante, le vieil homme me dit qu'il m'allait faire un présent. Je ne savais que répondre.

— Comprends-tu ce que je te dis ? me demanda-t-il calmement.

— Oui, Papa-Maréchal, Zamor comprend.

Cette réponse un peu naïve le fit se pâmer de rire et je suis certain que ce fut, ce soir-là, la saillie principale de la soirée.

— Bien ! me répondit-il, allons, tant mieux !

Et me conduisant à un médaillier somptueux, il en fit glisser le tiroir supérieur pour y choisir une miniature charmante, représentant une belle dame au visage de fée.

— Cette personne sera très bonne pour toi, me dit-il assez mystérieusement, et du ton que l'on adopte pour parler aux enfants sages. Déjà tout le monde l'adore à l'image d'une reine.

Puis il plaça la miniature dans ma main droite, qui n'en demandait point tant.

— Conserve ce trésor précieusement, me dit-il. Et prends garde qu'on ne te le dérobe !

Le conseil était superflu. Car de cette minute, pas une heure n'a passé sans que je n'aie veillé sur lui bien à l'abri dans mon gousset comme sur le plus précieux des talismans. Naturellement, cette belle dame dont on me vantait si joliment les qualités n'était autre que le nouveau béguin du Roi ; à l'époque dont je parle, Madame n'était même pas titrée comtesse du Barry.

Pendant la moitié d'une année, je reçus, sous l'œil exigeant et attentif de Papa-Maréchal, tous les enseignements dont puisse rêver l'enfant d'une noble famille. Le maître à danser succédait dans ma chambre au professeur de chant, le grammairien au précepteur chargé de m'inculquer le français le plus pur. J'appris très vite à m'habiller, à me tenir, à saluer, à remercier, à demander, à prier, à danser, à marcher, à respirer... L'on se mit même en peine de me montrer comment il convenait que je me mouche. Mes maîtres s'étaient passé le mot, que je devais, dès Noël, en savoir déjà assez pour faire au Maréchal la surprise de ma politesse accomplie. A peu de chose près, ce pari fut tenu.

Un matin de cet hiver 1769, Marie, que la jalousie à mon encontre étouffait souvent, mais qui pour autant ne pouvait se priver tout à fait d'un compagnon de jeu de son âge et sur lequel elle avait quelque prise, me réveilla, tout excitée :

— Il a neigé, Zamor ! criait-elle. Il a neigé !

D'abord interloqué, je vis par la fenêtre que la cour de l'hôtel était blanche. Je m'habillai en toute hâte, et descendant à la poursuite de la petite servante, courus me jeter dans cette poudre humide et glacée dont je ne m'étais encore jamais fait la moindre idée... Nous ne sommes pas restés longtemps à jouer ainsi dans la neige ; cependant, ce fut encore trop pour ma nature inadaptée ; je contractai là un coup de froid terrible, qui me mit au lit et manqua de m'être fatal. Pendant plusieurs jours, les médecins réservèrent leur avis sur mon sort. Le mal avait pris possession de mon corps et de mon esprit et rien n'autorisait à trop espérer. Après trois jours, cependant, la fièvre tomba d'un seul coup ; et je retrouvai assez de conscience pour voir, penché à mon chevet comme un parent soucieux, ce Papa-Maréchal qui avait placé tant d'espoirs en ma personne.

— Pardon, articulai-je. Pardon d'être allé dans la neige...

Le Duc me rassura, et sortit de là tout content. Quant à moi, je gagnai en cette circonstance une chambre chauffée, au second étage, plus confortable, assurément, que celle qu'on réservait à Monsieur Loumel lui-même ! Je fus logé désormais comme un invité du Maréchal, et non plus comme son serviteur.

Les derniers mois de cet hiver bien rude furent consacrés à la préparation d'un souper dont j'entendais beaucoup parler, sans bien comprendre toutes les conséquences qui en résulteraient pour moi.

Une kyrielle de fournisseurs avait défilé pour me confectionner des parures dignes de la belle dame, ou de la fée disait-on, au service de laquelle je me savais destiné. Par ailleurs, un grand ara tout rouge partageait mon intimité, afin de le familiariser à ma personne : ne devais-je pas le tenir sur mon bras pour en faire présent à la dame ? Enfin et surtout, mes maîtres s'escrimèrent à me faire entrer dans la tête un compliment en vers auquel je ne comprenais goutte – tous assuraient que c'était là le complément nécessaire, et comme le couronnement du présent qu'à travers moi le duc de Richelieu entendait faire à ma belle fée.

J'appris donc le compliment.

Un soir, alors que je m'apprêtais à regagner ma petite chambre, Papa-Maréchal me fit appeler chez lui. Je redescendis sans trop d'inquiétude, pensant qu'il souhaitait seulement me montrer à ses hôtes, comme il le faisait parfois. J'étais loin d'imaginer l'épreuve qui m'attendait.

— Zamor, m'annonça-t-il lui-même, ce soir, c'est toi qui vas être mon échanson. Tu as toute ma confiance. Tâche de ne pas me décevoir.

Non sans trembler quelque peu, je dus donc, comme on venait de me l'apprendre, servir le vin de Champagne à mon maître et à ses invités, puis verser dans de précieuses tasses de porcelaine le café dont ils se délectèrent au sortir de table. Je m'acquittai de tout cela sans trop d'encombre, et sans que quiconque eût à pâtir de mon noviciat en la matière.

— Zamor, me dit le Maréchal quand ses invités furent partis, je crois que je puis me montrer assez fier de toi. Vois-tu, je dois m'absenter quelque temps ; mais à mon retour, tu auras une très grande occasion de me satisfaire de nouveau. Et cette occasion-là sera la dernière.

— Mais, Papa-Maréchal, est-il donc vrai que vous allez me vendre ?

— Bien sûr que non ! répondit-il en riant. Je ne vais pas te vendre, puisque je vais t'offrir. Le plus gracieusement du monde.

Je dus faire avec cela, et trouver des raisons d'espérer dans ce qui eût abattu tout autre. A la vérité, ces changements d'existence me perturbaient. Je ne savais plus à qui m'attacher. Que l'on veuille bien songer à mon jeune âge : je n'avais pas sept ans alors et, déjà, j'apercevais le profil de ma quatrième vie.

4

L'enfant de tous les caprices

Dans le logis du père Bruneau, à Versailles, les semaines s'étaient écoulées mornes et lugubrement identiques. Le souvenir des violences que m'avait infligées la troupe des garnements tendait à s'estomper ; et sans avoir reconquis ma pleine liberté de mouvements, j'étais parvenu à contourner et assouplir le régime rigoureux que l'on m'avait fait. Mon précepteur avait d'abord consenti à ce que je puisse aller au jardin pour m'y amuser ; seulement les petites voisines, que la noirceur de mon visage devait effrayer, avaient aussitôt détalé. De tout mon séjour, je ne les revis jamais dehors, ce qui diminua grandement à mes yeux l'attrait de ce coin de verdure. A la condition que je ne chercherais plus à m'éloigner, j'avais recouvré par ailleurs le droit d'accompagner le père à l'église, et sa servante du matin, aux halles. Perrine était une femme assez brave et totalement sourde, qui me souriait sans cesse, mais n'avait guère plus de dix mots à son vocabulaire.

La messe et le marché constituaient ainsi mes seules distractions ; au reste, la mine sombre et butée de ceux que je croisais dans les rues ne me donnait guère envie de lier connaissance ; le bruit s'étant répandu que j'étais du Château et que j'appartenais à Madame du Barry. Pour le coup, les gens me tenaient dans une sorte de mépris affecté, où entraient quelque envie et beaucoup de ressentiment.

Un matin, de retour du marché avec la servante, j'avais à peine déposé les vivres sur la table du cellier, que le père Bruneau me héla depuis sa chambre. Je le rejoignis sans joie, pensant qu'il avait, une fois de plus, quelque observation déplaisante à me faire. En fait de quoi je le trouvai fort radouci et presque bien disposé.

— Zamor, me dit-il, j'ai reçu ce pli de Mademoiselle Chon, m'annonçant le retour de la Cour à Versailles pour après-demain. J'espère que tu es content.

C'est peu dire que je l'étais ; la simple idée de revoir Madame me transportait d'aise, et pour un peu, j'eusse embrassé le bon père. De son côté, craignant sans doute qu'un moment de complicité joyeuse ne diminuât son autorité, il eut soin d'ajouter :

— Nous allons devoir mettre les bouchées doubles : je veux que tu saches ton compliment à la perfection.

En effet, tenant à célébrer dignement le retour de ma maîtresse, il avait composé un méchant madrigal que je ne parvenais point à retenir. Sans doute en ressentais-je par trop le ridicule... Je l'ai oublié à présent, mais je me rappelle qu'il finissait ainsi :

> *Que serait Versailles devenue*
> *Si vous n'étiez pas revenue ?*
> *Il en faudrait changer le nom,*
> *Et le baptiser Versaillon.*

Je ne sais rien de plus risible. Cependant le jésuite, satisfait de ses petits vers, s'ingéniait par tous les moyens à me les faire entrer dans le crâne. Non sans un certain succès, finalement.

Par une après-dînée radieuse de fin d'été, le retour des courtisans remit donc de la vie dans le grand château. Nous-mêmes nous étions rendus assez tôt dans les cours pour voir entrer les premiers carrosses en provenance de Compiègne. La voiture du Roi et celle de Madame n'étaient point de ce détachement. Quant aux fourriers, tous étaient déjà là depuis deux jours, ainsi que ceux dont l'office était de préparer les lieux. Nous vîmes ainsi La France, le premier valet de Madame, un homme grand et fort, et qui m'inquiétait vaguement. Il proposa au père Bruneau de lui montrer des caisses de livres que l'on venait d'apporter de Paris et qui n'avaient point encore été ouvertes. Je fis mine de les suivre tous deux mais, profitant de la diversion, je saisis cette aubaine pour m'éclipser discrètement.

Errant plus ou moins dans l'aile du Nord, je passai des moments agréables, comme avant le départ, à gambader parmi les porteurs et les frotteurs. Pour les tâches d'entretien, le personnel des différentes maisons revêtait une simple redingote de drap gris, dite « à la bavaroise », ce qui donnait à tout cela un air industrieux. Un peu plus tard, tandis que je me promenais du côté de la grille de la Chapelle, un carrosse ralentit en passant à ma hauteur. Baissant un peu sa glace, la maréchale de Mirepoix me fit signe de la rejoindre. Je sautai sans me faire prier sur le marchepied, et, de là, me hissai vers l'intérieur de la berline, où étaient aussi Mesdames de Talmont et de Valentinois. Toutes trois me donnèrent des marques de la dernière bonté, et s'amusant avec les franges de mon habit, voulurent bien m'avouer que j'avais manqué à ma maîtresse et que Madame brûlait d'impatience à l'idée de me retrouver.

— Tu ne l'as donc pas vue ? s'étonna la duchesse de Valentinois. Sa voiture était bien en avant de la nôtre...

— Sais-tu que la Comtesse aura désormais son appartement ? me demanda Madame de Mirepoix.

— Et sa livrée, ajouta la troisième.

Réalisant mon ignorance, la Maréchale se fit plus explicite :

— Le Roi vous fait quitter l'Aile neuve pour vous installer dans l'appartement de sa belle-fille Saxe, Dieu ait son âme.

De fait, ce retour au Château s'accompagnait pour la maison de Madame d'un changement d'importance. Non seulement le personnel allait arborer désormais une belle livrée bleue galonnée d'or pour la grande tenue, chamois et argent pour la petite, mais nous troquions surtout nos six pièces du rez-de-chaussée, avec leurs entresols douteux, pour une enfilade plus brillante, au second étage sur la cour de Marbre. En fait, ce nouveau logement était à peine plus vaste que le premier, et les plafonds en étaient fort bas ; mais il se voulait autrement prestigieux, car pris sur le domaine sacré des cabinets du Roi ! Madame de Talmont se fit un plaisir de m'y conduire par le degré d'Epernon, fort encombré encore des malles qu'on y avait déchargées depuis la veille et de quelques minuscules chiens que les dames prisaient fort.

Nous entrâmes sur la pointe des pieds dans cet appartement encore en travaux et dont les vernis n'étaient pas même tout à fait secs. Pour moi, je fus ébloui, au sens littéral, par la profusion d'or que l'on avait mis aux boiseries, et dont l'éclat et les reflets me heurtèrent la vue :

— Cela fait mal aux yeux, dis-je en me protégeant de la main.

Cette remarque enfantine égaya fort Picard et Comtois, les laquais qui se trouvaient dans le cabinet d'angle. Mais en réalité, la dorure un peu fraîche et trop ostentatoire n'était pas sans heurter des regards plus habitués que le mien aux fastes de la Cour.

Du grand salon voisin me parvint bientôt la voix de Madame. J'aurais aimé courir à ses jupons, seulement elle était avec le Maître et quelques familiers, et Madame de Talmont sut me rappeler à l'étiquette. Je fis donc mes révérences dans les formes et attendis, pour approcher, que Madame m'en eût prié. Elle ne me fit point attendre il est vrai ; ouvrant ses bras tout grands, elle prononça mon nom si fort que le Roi, occupé à lire un plan avec le prince de Soubise, releva la tête et me jeta un regard étonné.

— Mon Zamor, redit Madame en me cajolant comme si j'avais été son propre enfant. Vous m'aurez bien manqué, moricaud !

Dans sa bouche, ce curieux nom ne recelait nulle offense ; au contraire, il s'y parait de toute la tendresse possible. J'aimais à le lui entendre articuler, de sa façon douce et quelque peu naïve, presque autant que celui de « colibri des îles » dont elle aimait à m'affubler. Je n'omis point, pour autant, le compliment dont m'avait chargé le père Bruneau, et déclamai tout uniment son curieux madrigal :

... Que serait Versailles devenue
Si vous n'étiez pas revenue ?...

Madame, attendrie de mes efforts et de mes progrès, n'en parut point noter le ridicule. Il en fut autrement dans le cercle royal, où l'on se mit à étouffer des rires coupants comme la lame d'une épée. Le Roi lui-même donna le ton, en déclarant :

— Encore, nous ne rentrons que de Compiègne... Attendez un peu Fontainebleau !

Cependant Madame n'était guère encline au mauvais esprit, surtout à mes dépens. Sans craindre de contrarier Sa Majesté, elle mit donc fin aux railleries en proposant de faire au duc d'Aiguillon, qui venait d'entrer, les honneurs du nouvel appartement. Pour moi, je m'attachai à tous ses pas, et ne la quittai de la soirée.

Venant quelques semaines après la cérémonie de sa présentation à la Cour, qui avait eu lieu au printemps, ce logement dans des pièces attenantes aux cabinets du Roi parachevait, pour Madame, la plus enviée des consécrations. La richesse des boiseries disait assez ce qu'elle était devenue ; et même si toutes les pièces étaient loin d'avoir reçu de l'or, toutes étaient pour le moins somptueusement parées ; ainsi dans la grande salle à manger, ces vernis Martin blancs qui donnaient aux parois un aspect émaillé et laiteux du meilleur effet. Maîtresse en titre et déclarée, Madame accédait bien à ce rang singulier qui, par la grâce du Roi, pouvait faire d'une femme née dans la bassesse la première dame du royaume, une quasi-souveraine dans tout l'éclat de sa puissance. Ainsi Madame du Barry succédait-elle, après cinq ans de transition, à Madame de Pompadour. La Cour ne fut pas longue à entériner cette réalité nouvelle ; et si j'avais vu, dès mon arrivée, une affluence certaine à sa toilette publique, ce n'avait rien été, comparé à la foule inouïe qui, au lendemain du retour de Compiègne, prit d'assaut nos salons du second étage. Les plus grands noms du royaume faisaient antichambre pour être admis à dire un mot à la nouvelle sultane, avec l'espoir de capter son attention, de retenir son intérêt, et d'entrer dans ses bonnes grâces.

Je crois pouvoir dire que cet automne de 1769 aura marqué l'apogée précoce du petit règne de ma maîtresse, en même temps que le moment le plus doux de ma propre existence. Après des années de vicissitudes, j'accédais enfin à quelque stabilité dans le bonheur. Quoique je ne fusse jamais qu'un enfant noir issu de l'esclavage, Madame me considérait avec bienveillance et tendresse, m'imposait en tiers à ses plaisirs, manifestait par mille délicatesses les attentions constantes qu'elle avait pour moi. Très richement vêtu, et de la manière la plus variée, fêté constamment comme un jouet de grand prix, je n'avais guère qu'à la suivre partout, avec cette insouciance que procure l'intimité des Grands, et cette inconséquence qui souvent accompagne les réussites trop soudaines. Pour un peu, je me serais senti moi-même issu de rang princier. Fatale confusion !

— Tu es si beau, mon Zamor, avait-elle coutume de me dire, et si mûr pour un petit garçon !

Cette maturité précoce expliquera peut-être que je me sois, dès mon entrée à la Cour, soucié plus que de raison des jolies personnes qu'on y pouvait croiser. Sans chercher trop loin de quoi satisfaire mon goût pour le beau sexe, j'avais ainsi plus ou moins secrètement jeté mon dévolu sur une petite servante du nom de Francette, qui était attachée à la lingerie de Madame et passait ses journées à s'arc-bouter sur de grandes panières remplies d'effets à laver. Le sourire de cette brave fille, son allant, sa gentillesse, et par-dessus tout l'espèce de timidité que traduisait chez elle un regard toujours oblique, tout cela m'aiguisait les sens et me faisait rêver, bien avant l'âge, j'imagine, d'étreintes lascives et d'abandons.

Je n'avais pas huit ans, alors... Mon cœur, de son côté, était entièrement dévoué à ma belle Comtesse. J'aurais pu, je crois bien, donner ma vie, s'il l'avait fallu, pour une créature aussi parfaite, à ce point généreuse, tellement au fait de mes qualités visibles et cachées ! Lors des promenades que nous faisions dans la verdure, à Trianon surtout, ou bien à Marly et jusqu'à Choisy, Madame se perdait en confidences parfois étonnantes sur sa destinée singulière. On ne peut se faire une idée de la vanité où me précipitait la claire conscience de compter alors au petit nombre de ses confidents intimes. J'en étais venu à me fondre dans ce qu'elle représentait, au point de prendre pour moi les critiques souvent injustes, calomnieuses même, qu'on lui adressait perfidement, par le biais d'odieux pamphlets.

J'épousais naturellement ses espoirs et ses craintes, ses engouements comme ses répulsions. Ainsi je n'apprendrai à personne que Madame éprouvait pour le duc de Choiseul, pourtant au mieux avec sa devancière, la plus parfaite aversion. Un contentieux personnel, lié à d'anciennes tractations, était venu étayer chez ma maîtresse un sentiment d'abord irraisonné. Pour moi, j'eusse alors été bien incapable de former une pensée en dehors d'elle ; et j'en vins, avec la naïveté des enfants, à considérer Monsieur de Choiseul comme un ennemi personnel.

Par un matin pluvieux, je m'étais installé pour jouer, comme je le faisais souvent, devant la grande volière toute bruissante d'oiseaux. Derrière la chambre de Madame, elle occupait une petite pièce appelée « laboratoire de physique », au temps où le Roi lui-même habitait cet appartement. La fenêtre s'ouvrait sur une cour intérieure, dite « des Cerfs » car on y avait donné la curée ; et c'est de là que j'aperçus notre grand ministre qui se rendait à pied chez Madame Victoire. Les porteurs ayant couru s'abriter, sa chaise, posée par terre à côté de ses bâtons, restait sans surveillance N'y tenant plus, je décidai de jouer un vilain tour au grand personnage : je me saisis d'un pot de faïence de Delft tout empli de terreau, vierge encore de plantation, et tranquillement, avec une application bénédictine, je fis couler cette terre noire deux étages plus bas, sur le toit de la chaise, gainée de maroquin. Le contenu du pot y passa presque entièrement, maculant de traînées sombres et infectes, les décorations vernissées des parois. J'aurais pu m'en tenir à cela quand, soucieux de léser davantage encore notre ennemi intime, je décidai de jeter le pot lui-même, qui alla s'écraser sur la chaise avec fracas, brisant l'une de ses glaces. Pour mon malheur un suisse, de faction au premier étage, chez le Roi, observait la scène en retrait ; et c'est peu dire qu'il se fit un devoir de faire connaître à qui de droit l'auteur de ce forfait.

Monsieur de Choiseul était assurément bien trop fin pour monter en épingle un tel incident, et chercher le scandale ; mais il n'était pas assez généreux pour se dispenser d'une doléance privée. Madame fut donc avertie de mon agression symbolique contre la personne du ministre d'Etat. Quel que fût son dépit, elle ne pouvait écarter la sanction, et d'autant moins que le Roi lui-même avait été mis au courant. Elle plaida donc l'enfantillage auprès du Maître, présenta de sincères excuses au grand commis de

l'Etat, et s'assura que je serais séquestré dans ma cham-
brette pendant une journée entière.

Du moins cette punition me valut-elle le plaisir de sa
levée. Madame elle-même vint y mettre un terme, accompagnée d'une charmante fille du service, Annette, porteuse
d'une corbeille emplie de friandises. Soit remords d'avoir
mis ma maîtresse dans une position délicate, soit bonheur
de la voir partager ainsi ma peine, je fondis en larmes et
fus secoué de sanglots. Madame était sensible ; elle pleura
fort, et la petite avec elle. Si bien que l'on eût dit, à nous
voir ainsi tous trois, une mère et une épouse venues faire
leurs adieux à quelque condamné dans sa cellule...

D'une façon générale, toutes les occasions m'étaient
bonnes aux sottises, de la plus innocente à la moins pardon-
nable. Il m'est arrivé, entre autres vilenies, de poivrer des
compotes, de cacher des hannetons vivants dans un feuil-
leté, de crocheter la perruque du président Maupeou à
l'aide d'un hameçon, de faire tomber dangereusement la
duchesse de Duras, en cirant exprès les marches de son
petit perron, et plus communément, de dissimuler des
épines dans le moelleux des fauteuils, ou de coucher des
rats crevés au fond des panières... A l'époque, tous ces
mauvais coups me ravissaient ; ils me donnaient le sentiment, au demeurant bien illusoire, de me placer au-dessus
de ceux qui en faisaient les frais. Sans doute cherchais-je à
mesurer jusqu'où pouvait s'étendre l'impunité de fait dont
je jouissais ; je dois à la vérité d'admettre que jamais je n'en
vis les limites.

Comment s'étonner, dès lors, de la mauvaise réputation
dont j'avais fini par hériter au sein du service de Madame
et, au-delà, dans l'ensemble du personnel attaché à la
Cour ? J'ai entendu des cochers qui, pour m'avoir surpris
à piquer d'une épingle la croupe de leurs chevaux, avaient
juré de m'arracher les yeux. Surtout, j'ai vu des laquais,
masqués par peur des représailles, me rouer de coups sous
un escalier, puis m'abandonner inanimé sur le carreau, plus

mort que vif. Ce jour-là, Madame interrompit une audience importante pour courir à mon chevet et, son mouchoir à la bouche, s'attarder en pleurs auprès des barbiers qui s'employaient à me remettre d'aplomb. Je sens encore la douceur de ses mains autour des miennes, et l'exacte pression de ses lèvres qu'elle y posait de tout son cœur. « Elle m'aime, me disais-je, je sais qu'elle m'aime ! » Aujourd'hui encore, je donnerais ce qu'il me reste d'existence pour revivre un seul instant de cette scène-là.

Les agréments de la campagne convenaient à mon naturel dissipé. Je m'y livrais sans réserve dans la nouvelle maison que Madame avait reçue du Roi. Pendant le séjour de Compiègne, Sa Majesté lui avait fait don, en effet, du château des eaux de Luciennes, près de Marly, où la Couronne avait logé longtemps l'ingénieur en charge de la fameuse machine hydraulique. Nous avions eu plusieurs fois l'occasion d'aller y suivre les travaux d'embellissement que dirigeait Monsieur Gabriel, et j'avais tout de suite partagé l'enthousiasme de ma maîtresse pour ce coin de pays verdoyant et vallonné qui faisait songer un peu à ce que devait être la campagne romaine. L'inauguration de la maison se fit en octobre, lors du retour de Fontainebleau. Les seigneurs et les dames qui voyageaient dans le cortège du Roi furent les hôtes choyés de la Comtesse, au cours d'un dîner mémorable qu'elle fit servir dans la salle à manger tout ornée de boiseries dédiées à la chasse, et qui devait achever de l'imposer comme la digne émule de Madame de Pompadour. La maréchale de Mirepoix s'était un peu improvisée sa conseillère pour des subtilités qu'apporte seule une longue pratique du monde. Car cette partie de campagne, en principe toute simple, n'en était pas moins la mieux fréquentée qui fût : en étaient, si mes souvenirs sont bons, les princes de Condé, de Soubise, de Lusace, les ducs de Richelieu, bien sûr, mais aussi d'Estissac et d'Aiguillon. Ce dernier plaisait fort à Madame, et lui rendait au décuple l'admiration sincère qu'elle lui portait.

La brillante assemblée se répandit en éloges sur tout ce qui faisait le charme des lieux : une vue imprenable sur la vallée de la Seine, une étonnante simplicité dans l'architecture, des décors à la fois sobres et raffinés. Quant au voisinage bruyant de la machine, et qui faisait évidemment l'inconvénient du site, on passa bien pudiquement dessus. Papa-Maréchal poussa même la flagornerie jusqu'à prétendre, par la suite, ne l'avoir seulement pas remarqué. Si quelqu'un s'était soucié de mon avis, je lui aurais dit, quant à moi, que cette présence grondante au fond du jardin était ce qu'il y avait de plus merveilleux à Luciennes. La gigantesque machine me faisait l'effet d'un monstre endormi, mystérieux, terrifiant... Je ne m'en approchais jamais sans que mon cœur ne batte fort dans ma poitrine ; et chaque fois que l'on m'autorisait à entrer dans la bâtisse elle-même, je me sentais ému aux larmes devant un mécanisme aussi imposant, ingénieux et précis. Comme j'aurais aimé que l'on m'en apprît les secrets ! En observant tous ces rouages, tous ces engrenages fonctionner en accord parfait, j'étais pris d'une admiration sans bornes pour les esprits féconds et audacieux qui avaient osé les imaginer et les mettre en œuvre.

Pour le reste, Luciennes m'offrait des joies simples et douces, comme d'aller cueillir des genêts, ramasser du bois, piéger des goujons à l'aide de grandes carafes qu'un jardinier m'apprenait à disposer dans le ruisseau en contrebas... Je profitais du bon air, autant que d'un relâchement général de l'étiquette, et de l'humeur joyeuse de Madame que sa petite maison ravissait. J'avais un réduit charmant dans l'aile attenante, d'où je pouvais voir les fenêtres de ma maîtresse. Ce m'était un bonheur, à la tombée du jour, d'observer les bougies s'allumer dans sa chambre, et sa silhouette, mêlée à celles de ses femmes, projeter leurs ombres gracieuses sur les feuillages déjà sombres. Il me semblait alors que j'étais seul à la comprendre, à la connaître... Il me semblait que nul ne pouvait l'aimer mieux que moi.

Un petit fait permettra de faire sentir jusqu'où pouvait aller, au reste, ma fascination pour toutes ces subtiles techniques. Vers la fin de l'année 1769, Madame avait acheté au marchand parisien Poirier un baromètre magnifique, conçu par Monsieur Passemant, et dont le décor en porcelaine de Sèvres célébrait le passage, six mois plus tôt, de la planète Vénus en travers du Soleil. C'était un objet de très grand prix, que le Roi lui-même avait beaucoup admiré, et qui fit l'attraction de l'appartement de Madame pendant quelque temps. Pour moi, j'étais fort curieux de ce baromètre, moins pour la beauté du cartel que pour la précision extraordinaire du mécanisme. Un jour, alors qu'enrhumé je n'avais pas eu le droit d'accompagner Madame dans sa petite promenade d'après-dînée, je me mis dans l'idée de découvrir le mécanisme secret de l'étonnante machine. J'approchai une chaise devant le baromètre, grimpai dessus, décrochai non sans mal le précieux objet de son lambris – et surpris par son poids, le laissai tomber et se fracasser sur le parquet. Soudain, pétrifié d'horreur, je demeurai interdit un moment, les yeux ronds et fixes, les mains sur la bouche. Cédant à la panique, j'essayai de le raccrocher tant bien que mal, quand Monsieur Morin, l'intendant de Madame, mit une fin salutaire à cette tentative désespérée.

Pour une fois, Madame sut se montrer sévère. Elle résolut de me priver d'un spectacle auquel j'accordais alors une grande importance, et que j'attendais impatiemment pour l'avoir entendu vanter hors de mesure : je veux parler de la messe de Noël à Versailles, où devaient se produire au grand complet les musiciens et les chœurs de la Chapelle. Le Roi avait permis que j'y apparaisse à la suite de Madame, ce qui m'avait empli de gratitude. En être privé me causa donc la contrariété la plus vive, et ranima en moi le besoin d'être baptisé. Sur quel argument se fondait ma quarantaine hors de l'Eglise ? Pourquoi m'aurait-on refusé plus longtemps le premier des sacrements ?

— Madame, suppliai-je à genoux. Je vous en prie : ordonnez que l'on me baptise !

— Voyons, Zamor, je ne puis rien ordonner de tel. Tout ce qui est de mon pouvoir est de t'offrir des cours d'instruction religieuse... Nous veillerons à te baptiser quand tu seras en état de te montrer bon chrétien.

C'est ainsi que je reçus pour mes étrennes une belle *Imitation de Jésus-Christ* reliée aux armes de Madame, et que j'ai jetée par la suite, dans des circonstances qu'il me faudra bien rappeler... Je le regrette aujourd'hui, et rien ne serait plus cher à mon vieux cœur que ce pieux ouvrage...

On a souvent fait à ma maîtresse le procès de contrevenir en tout à la religion. Quelles que soient les réserves qu'imposent à cet égard la position et l'office qu'elle occupa auprès de Louis XV, je veux témoigner de sa sincérité et de sa constance à manifester en toute occasion les vertus les plus chrétiennes. Ce serait manquer à la justice que d'oublier la bonté dont cette femme sut faire preuve envers tous ceux qui croisèrent sa route. Et pour ne pas m'en tenir toujours à mon seul exemple, je voudrais raconter une histoire qui se situe justement au Jour de l'An 1770.

Madame avait réclamé pour notre bonne vieille Maréchale le bénéfice des Loges de Nantes, dont le produit était venu à vaquer. Elle appuya sa demande écrite d'une petite requête verbale auprès du Roi.

— Je suis bien au regret, Madame, répondit Sa Majesté, mais je ne puis vous donner cette satisfaction : j'ai déjà disposé de l'objet.

La Comtesse prit assez mal cette fin de non-recevoir, et comme sa réaction frisait le désagréable, le Roi lui dit tout de suite la raison de son refus :

— Savez-vous à qui je destine ce bénéfice ? Mais à vous, Madame. Ce seront vos étrennes...

— Eh bien, ce seront les siennes, répondit-elle.

Le bon cœur et l'esprit d'équité de ma maîtresse étaient au reste des traits bien connus à la Cour et dans tout le royaume. Dans le temps de mes débuts à Versailles, elle avait obtenu coup sur coup la grâce de plusieurs malheureux dont la justice du Roi eût aimé faire tomber la tête. C'étaient chaque fois des histoires violentes, certes, mais touchantes, où des sujets de bonne foi se trouvaient en butte à l'implacable dureté des lois. La première, je crois, fut une pauvre fille engrossée par un prêtre, et qui de ce fait n'avait pas souscrit à l'obligation de déclarer sa grossesse. Quoiqu'elle eût perdu son enfant avant de le mettre au monde, ce manquement lui aurait coûté la vie sans une intervention efficace de la Comtesse. De même, elle sauva un soldat qui avait déserté pour rendre visite à ses parents, ainsi qu'un couple de vieux aristocrates, les Louësme, qui avaient fait feu sur un huissier et un agent de la maréchaussée, en voulant protéger leur vieux château de famille d'une saisie mobilière d'autant plus impitoyable qu'elle était à la limite de la légalité.

Cette dernière affaire, notamment, ne fut pas sans conséquence sur l'opinion qu'on pouvait avoir de Madame à la Cour. Il s'avéra en effet que la famille de Louësme disposait ici d'assez nombreux parents et alliés ; le souci qu'eut Madame de leur venir en aide, et la façon dont elle le fit, en se jetant littéralement aux pieds du Maître, lui gagnèrent l'estime et peut-être l'amitié de courtisans qui, jusque-là, l'avaient regardée de bien plus haut. Le Roi lui-même devait s'employer à souligner complaisamment le dévouement de son amie : « Je suis enchanté que la première faveur pour laquelle vous me forcez soit un acte d'humanité », s'empressa-t-il de déclarer en public, et de manière que cela fût entendu, retenu, répété...

De sorte que, dans les premiers mois de 1770, ma maîtresse se mit à bénéficier, en ce pays-ci, d'une réputation nouvelle, fort honorable, et que bien des dames plus titrées qu'elles eussent pu lui envier. Une anecdote en donnera la mesure. Un soir de mars, vers cinq ou six heures, alors que je m'amusais avec une toupie sous les fenêtres d'un entresol appartenant aux Princesses, je surpris une conversation assez animée, dont je pus deviner aisément le sujet. Pourtant il y était question de générosité, de bon naturel, de loyauté à la noblesse de France... Je tendis l'oreille, et en sus bientôt assez pour qu'aucun doute ne fût permis : c'était bien la Comtesse que le cercle de Mesdames dépeignait sous des traits aussi favorables. Soudain, la conversation s'arrêta net, et j'entendis qu'on la poursuivait à voix basse, et sur un autre ton. A l'évidence, quelqu'un venait de remarquer ma présence. Une voix s'éleva alors et reprit, dans l'intention évidente de brouiller les pistes : « On ne peut pas en dire autant de la créature ! » Ce terme de « créature » désignait forcément, chez Mesdames, la favorite que l'on se refusait même à nommer. Quoique sans importance, ce brusque revirement me chagrina : ainsi, me dis-je, ce qui gênait les Princesses dans le fait que j'aie pu surprendre leur conversation privée, ce n'était pas d'avoir mal parlé de ma maîtresse, mais d'en avoir sans doute parlé trop bien... Elles préféraient à l'évidence que je rapporte à qui de droit des bruits moins flatteurs sur elle. C'est assez dire les excès et les travers de ce monde de la Cour, où l'on affichait sa malveillance sans le moindre scrupule, mais où l'esprit de justice pouvait paraître une tare qu'il fallait à tout prix dissimuler. Du moins, cette fois-là, les Princesses en furent-elles pour leurs frais ; car je négligeai de conter à Madame et leurs compliments intimes, et leurs vilenies de façade.

5

Emois... Et moi !

La grande affaire, au tournant de cette année 1770, était le mariage prochain du Dauphin, petit-fils du Roi, avec l'une des filles de l'Impératrice-Reine : la jeune Marie-Antoinette de Lorraine, archiduchesse d'Autriche. Le public en était plein, et l'on suivait chaque jour, sur de grandes cartes livrées tout exprès, l'itinéraire de cette princesse, depuis Vienne jusqu'à nous. Madame s'était fait des idées sur le rôle que le Roi entendait lui voir jouer en cette rencontre ; elle s'était imaginée le centre des fêtes, et présidant à tout. Aussi bien donna-t-elle son point de vue sur le programme et la préparation des réjouissances... Ce qui la passionnait avant tout, c'était cette nouvelle salle pour l'opéra, que Monsieur Gabriel venait d'aménager au Château même, tout près des réservoirs, au bout de l'aile du Nord ; et plus particulièrement le décor de la salle et du foyer qui, bien que peints en faux marbre, devaient n'être sculptés qu'en plein bois. Le marquis de Marigny, directeur des Bâtiments, nous reçut avec respect à la Surintendance, pour y présenter à Madame différents plans et modèles, qu'elle eut l'élégance d'approuver en gros et de louer en détail.

Aux yeux de certains, cette entrevue ne manquait pas de piquant. En effet, le marquis de Marigny, frère unique de feu Madame de Pompadour, ne pouvait guère éviter de poser sur la nouvelle favorite un regard forcément déformé par le souvenir vivant qu'il avait de l'ancienne. Il se garda bien, toutefois, de sortir des devoirs de sa charge, et sut recevoir Madame avec de sobres égards, comme tout grand serviteur de la Couronne se devait désormais de le faire. Il faut savoir qu'au surplus Monsieur de Marigny se prétendait hautement l'arbitre des élégances et du bon ton, quoique son caractère emporté le poussât bien souvent lui-même à sortir des canons de la bienséance. Je perçus tout de suite son agacement devant mon accoutrement pittoresque ; il devait paraître impossible à cet ami des anciens Romains qu'on pût encore, en dépit de la Beauté pure, se complaire aux charmes vulgaires d'un Indien de comédie.

Madame, à cet égard, tout en cultivant le goût le plus sûr qui fût jamais, ne s'embarrassait d'aucun principe esthétique. Si elle partageait avec le directeur des Bâtiments du Roi l'engouement de son siècle pour les rigueurs antiques, elle ne s'en interdisait pas pour autant certaines extravagances. Les petits meubles dont elle encombrait ses salons se devaient seulement d'être nouveaux, curieux, riches et par-dessus tout raffinés. Cet exquis sens du détail, qu'elle imposait aux couturières aussi bien qu'aux ébénistes, visait à amuser le Roi autant qu'à satisfaire ses propres penchants. Ainsi, et pour revenir à la préparation du mariage princier, m'avait-elle fait confectionner une série de tenues « à la Dauphine », où les symboles de l'hymen et de l'amour se mêlaient astucieusement à ceux de la politique.

Ce que Madame n'avait pas vu, et qui lui réservait une déconvenue cruelle, c'est que son rôle, dans les cérémonies annoncées, allait se trouver passablement entravé par son statut peu conforme aux préceptes de la religion. Car ses fonctions, très particulières, auprès du Roi, qui offusquaient la famille et surprenaient les Cours étrangères, la prédisposaient mal, on s'en doute, à conserver la haute main sur des fêtes publiques avant tout destinées à sceller une union chrétienne !

— Si vous m'en croyez, lui dit un matin la duchesse d'Aiguillon, l'on vous saura gré de vous éclipser un moment pour laisser mieux voir la comète...

Madame tomba de haut ; mais avec sa bonne foi coutumière, elle voulut bien prendre l'avis en compte, au point même qu'elle envisageât sérieusement d'aller faire un voyage dans le sud de la France pendant toute la durée des cérémonies.

« L'on n'aura qu'à déclarer que je suis à Barèges, pour les eaux », disait-elle, sans bien réaliser qu'outre l'incongruité de faire des cures dans des moments aussi prisés de tout le monde, il y eût eu quelque danger pour elle à laisser la Dauphine s'emparer d'entrée de l'esprit du Roi dans son entier. Là-dessus, Madame de Mirepoix fut sans doute bien inspirée, qui déconseilla formellement à celle qu'elle regardait un peu comme sa protégée, de quitter si promptement la partie. Je crois me rappeler que Papa-Maréchal, de son côté, la poussa aussi à demeurer plus que jamais dans la place, et de pied ferme.

Au jour annoncé pour l'arrivée de la Dauphine, tout ce que la Cour comptait de brillant s'entassa dans les carrosses repeints, revernis et empanachés pour s'en aller au-devant d'elle et lui faire le meilleur accueil. La duchesse de Valentinois était tout à la fois assez fantasque et assez compromise pour accepter que je me fasse, en la circonstance, son chevalier servant. Je fus donc du voyage avec tout le monde, et pus en narrer les menus détails le soir même à Madame, qui en était friande. C'était du reste la première fois que j'appartenais, ne serait-ce que pour quelques jours, à une autre personne qu'elle ; ce ne serait malheureusement pas la dernière...

La rencontre avec le cortège de la Dauphine devait se faire dans l'après-midi, au lieu dit la Croix-de-Noailles. Le convoi royal s'arrêta donc au beau milieu de la forêt de Compiègne où, mis à part la richesse des équipages et des habits, l'on aurait pu songer à quelque rendez-vous de chasse. C'était un jour de mai radieux, et sur la clairière ensoleillée, les habits brodés et ornés de pierres précieuses étincelaient. Dans le carrosse de ma maîtresse d'un jour, les éventails allaient bon train pour tenter de rafraîchir un peu l'air. Les seigneurs déambulaient entre les voitures à l'arrêt, s'interrogeant, s'interpellant à pleines voix. Enfin des cavaliers avant-coureurs apparurent, annonçant le cortège de la Dauphine, qui finit par se matérialiser dans un nuage de poussière. Pour tout dire, il y en avait tellement que lorsque la voiture tant attendue s'arrêta devant le Roi et le Dauphin, l'on n'y voyait plus à dix mètres. Cela gâta un peu la scène des présentations ; néanmoins tous ceux qui virent alors la jeune Autrichienne en dirent le plus grand bien ; qu'elle était jolie, gracieuse en tout, merveilleusement disposée envers son futur époux et son nouveau grand-père...

Ces jugements enthousiastes ravirent Madame quand je les lui rapportai ; mais cependant, à sa nervosité, je sentis tout de suite qu'ils l'impatientaient bien un peu aussi. Sans se l'avouer vraiment, je crois qu'elle avait espéré que la Dauphine posséderait l'effacement et la gaucherie de son âge ; au lieu de quoi elle se posait d'emblée comme sa rivale à la Cour. Ce sentiment me fut amplement confirmé dès le lendemain soir. Madame avait été conviée, parmi quarante « dames de qualité », à venir souper à la table de la nouvelle Dauphine, dans le petit château de La Muette que le Roi avait dû trouver suffisamment intime pour qu'on s'y autorisât une entorse à l'étiquette. Naturellement, ma maîtresse s'en faisait une joie. Seulement très vite, à l'euphorie fiévreuse des préparatifs, devait succéder un pénible malaise. Il suffisait de jeter un coup d'œil à notre équipage pour comprendre que ma maîtresse, pour une fois, en avait trop fait : la somptuosité de tout son appareil, plutôt que de plaider en sa faveur, pouvait prêter à sourire. Les cochers, coureurs, piqueux et postillons, trop éclatants dans leur livrée bleu céleste galonnée d'argent sur toutes les tailles, essuyaient des regards plus ironiques qu'admiratifs. Moi-même, je me faisais l'effet d'une poupée trop parée dans les bras d'une enfant tapageuse. Et je rêvais de l'heure où l'on me débarrasserait enfin de ces surcroîts d'ornements qui alourdissaient ma mise.

L'enfant que j'étais encore ne prenait guère la peine de tout passer au crible de son jugement ; cependant les épreuves que j'avais traversées m'avaient pour le moins habitué à ressentir les choses, à les qualifier dans l'instant, parfois même à les anticiper. Et je puis dire, sans fausse modestie, que ma sensibilité pour les affaires humaines était déjà fort aiguisée. Aussi me fis-je très vite une idée assez juste sur la féroce concurrence qu'allaient forcément se livrer à la Cour ces deux grandes dames ; tout ce que j'entendais murmurer alentour me confortant d'ailleurs dans ce premier sentiment.

Au petit château de La Muette, ce soir-là, contre toute étiquette, Madame fut donc placée à main droite du Roi, le Dauphin et la Dauphine leur faisant face. Pour ma part, je fus autorisé à me mêler au service, à la condition de rester à portée du siège de ma maîtresse, et de ne point trop me faire remarquer. Je pus donc juger de la nervosité inhabituelle dont elle faisait les frais, et qui allait croissant à mesure que l'assemblée, charmée par la nouvelle venue, lui tressait à l'envi des couronnes de roses.

La jeunesse, le naturel, l'infinie noblesse de cette princesse ne me laissaient pas indifférent moi-même. Tout grisé, je finis par glisser à l'oreille de Madame que Monseigneur le Dauphin avait bien de la chance d'avoir une si belle épouse. Elle sourit à ma remarque, mais de l'air le plus contraint et le plus malaisé du monde. Ce malaise atteignit même son comble quand le Roi, ayant à dire quelques mots anodins à sa nouvelle petite-fille, me choisit pour messager.

— Zamor, me dit Sa Majesté, veux-tu dire à Madame la Dauphine de ma part que tous les plats ont été préparés selon ce que nous savions de ses goûts. Et rapporte-moi bien fidèlement sa réponse.

Aucune mission, jamais, me m'avait fait plus d'honneur ; je m'en acquittai avec célérité, et ne pus cacher mon trouble quand l'Archiduchesse, surprise par mon apparition mais touchée de mon émoi, caressa distraitement la broche de brillants que je portais avant de me prier d'aller mander au Roi son contentement et sa reconnaissance. Il y eut ainsi plusieurs aller et retour au cours du souper, et je sentis bien qu'à mesure que je prenais ma part du jeu, Madame se refroidissait à mon endroit. A la fin, elle n'y tint plus et, comme on sortait de table, me glissa à l'oreille que j'avais trouvé là un bien bel emploi et qu'il fallait surtout que je n'en changeasse point. L'ironie qu'elle sut y mettre ne pouvait échapper à personne ; mais assez curieusement, je ne me sentis pas plus mortifié de la saillie que surpris de l'attitude.

Sous ce nouveau jour, les cérémonies et les fêtes du mariage prirent pour Madame, et pour toute sa maison, une teinte assez particulière ; un arrière-goût d'amertume se mêlait aux saveurs les plus exquises – et ce, d'autant plus que l'étiquette reléguait la Comtesse assez loin du Roi dans toutes les circonstances les plus officielles. Cependant, je puis témoigner qu'avec la meilleure volonté du monde Madame s'ingénia, dans les premiers temps, à séduire la Dauphine par tous les moyens possibles. Il n'était pas de présent qu'elle jugeât trop beau pour le lui faire porter dans l'instant, ni d'hommages et de compliments dont elle fît l'économie au prétexte qu'elle n'en recevait aucun en retour. Car la Dauphine, soit par étourderie, soit par la volonté délibérée de ne point compromettre son rang, se montrait envers ma maîtresse de la froideur la plus parfaite. Jamais elle n'avait témoigné pour elle la plus petite de ces attentions particulières qui, à la Cour, suffisent habituellement à vous concilier les esprits.

Comme l'on pouvait s'y attendre Madame ne tarda pas

à s'en plaindre au Roi, discrètement d'abord puis avec plus d'insistance. Mais Louis XV n'était pas un prince impérieux, et sa première attitude fut d'exhorter sa maîtresse à la patience et à l'humilité. Peut-être Madame la Dauphine n'avait-elle pas bien saisi l'importance qu'avait acquise la Comtesse à ses yeux... Il fallait savoir attendre, lui laisser une chance de se rattraper, ne pas trop tôt conclure...

Après quelque temps, néanmoins, Madame voulut en avoir le cœur net. Prenant le grand habit qu'elle rehaussa de tout ce qu'elle avait de plus somptueux en pierreries, elle se fit annoncer aux audiences de la jeune princesse, et vint d'autorité lui présenter ses devoirs. Je n'assistai pas à l'entrevue, mais à la réaction de Madame je pus sans peine juger de la froideur de l'accueil. A peine était-elle rentrée qu'elle s'effondra sur son lit, en pleurs, pour demeurer sans dire un mot pendant une heure au moins. Il fallut toute la bonté paternelle de Sa Majesté pour la remettre un peu ; encore devait-elle toujours conserver, par la suite, un soupçon d'inquiétude au fond du regard, et qui nous faisait dire, dans l'intérieur et par-devers nous, que la Dauphine nous avait volé l'innocence de Madame. Ce qui vint par la suite allait, hélas, nous donner raison trop de fois.

Très vite, l'évidence s'imposa. Une autre Cour venait de se reformer autour de la princesse Marie-Antoinette, une Cour favorable à Monsieur de Choiseul et aux idées nouvelles, mais dans le même temps une Cour pudibonde qui brandissait la morale chrétienne comme une arme à l'encontre de la pécheresse.

De mon côté, à mesure que je grandissais et gagnais en maturité, je voyais se détacher de moi, par degrés insensibles, ces femmes du service qui, dans les débuts, s'étaient si fort entichées de ma personne. Même la petite Francette, ma préférée, prenait bien garde, désormais, de ne plus se trouver seule en ma présence. Je n'étais déjà plus le petit enfant dont la moindre attitude pouvait toucher leur fibre maternelle ; mais un jeune garçon remuant, turbulent, auquel il pouvait paraître coupable de pardonner trop vite ses incartades. Dans le même temps, les courtisans eux-mêmes, jugeant que ma taille me faisait ressembler de moins en moins à une sorte de jouet – ou, pour mieux dire, à un petit singe –, marquèrent mieux leurs distances ; ils mirent entre eux et moi de sensibles barrières... Du moins le Roi en usait-il tout autrement : réalisant que j'arrivais au seuil d'un nouvel âge – quoique avec une précocité inaccoutumée –, il se mit à me montrer davantage de grâce et de bonté. Il faut dire que ce monarque, habité par la hantise de vieillir, se complaisait assez dans la compagnie de la jeunesse ; les émois des adolescents étaient de ceux qu'il pouvait comprendre. Et j'eus le bonheur de noter, dans son attitude à mon égard, un infléchissement que d'autres, moins désintéressés, eussent assurément pris pour un début de faveur.

— Zamor, me dit le Roi un matin qu'il venait de surgir, faisant fuir les femmes de chambre, au beau milieu de la toilette de Madame. Zamor, veux-tu bien passer ceci au cou de ta maîtresse ?

Il me tendit, dans un écrin, l'un de ces somptueux colliers qu'il lui arrivait parfois d'offrir sans raison. Je m'exécutai avec zèle, tandis que Madame se confondait en gratitude.

— Remerciez plutôt Zamor, dit le Roi qui ajouta : Je crois bien que cela vaut un baiser.

Et tandis que Madame m'embrassait de bonne grâce :

— Voyez, conclut-il sans considération pour la couleur de ma peau, voyez comme vous le faites rougir !

Par la suite, le Roi ne devait plus manquer une occasion de me plaisanter sur le sujet des femmes, ce qui déplaisait bien un peu à Madame. Pour ma part, je me sentais grandi de cette amorce de complicité virile et royale ; et je crois que cela ne m'incita guère à réfréner des dispositions certaines pour toutes sortes de sottises. Au vrai, il me semblait que j'étais devenu à peu près intouchable – ce que ma maîtresse s'employait fort peu à démentir, il est vrai.

Un jour que j'étais reclus dans ma chambre, en guise de punition, je me mis dans l'état de m'évader, comme je l'avais entendu raconter du célèbre Vénitien Casanova. Je parvins sans peine à faire céder le verrou qui fermait ma porte et, me faufilant à pas de loup vers le palier, entrepris de descendre discrètement le grand degré. Je n'étais pas à mi-hauteur que des pas dans cet escalier me forcèrent à rebrousser chemin. Que devais-je faire ? En rentrant chez Madame, je risquais fort de me laisser prendre ; aussi décidai-je à l'instant de bifurquer à gauche et de passer, par une porte restée entrebâillée, dans l'appartement voisin qui me semblait désert. Seulement je n'étais pas au milieu de l'antichambre que de nouveaux bruits me surprirent ; et c'est en voulant me cacher au creux d'une niche ouverte dans la cloison que je renversai un magnifique vase couvert, de porcelaine montée : je vis choir le bel objet sans pouvoir le retenir, et s'écraser au sol dans un fracas indescriptible.

Un vieux valet revêche accourut assez vite pour me prendre sur le fait. Il fulminait et pestait contre moi.

— Je te connais bien, disait-il sans me laisser tenter la moindre excuse. Tu es le nègre de la comtesse du Barry et tu essayais de voler Monsieur le Duc.

Car l'appartement voisin du nôtre était alors occupé par le duc de Cossé. Sans autre forme de procès, le vieil homme en colère me fit retraverser le palier en vitesse, pour me remettre aux bons soins de Monsieur Morin, l'intendant de Madame, auquel il n'épargna aucun détail de mon forfait. Ce petit drame domestique aurait pu demeurer sans lendemain. Mais le hasard a voulu que ce fût le point de départ d'une histoire étonnante, dont je fus de la sorte et l'initiateur et le premier témoin.

En effet, le soir même, ma maîtresse que chagrinait l'incident me conduisit de force chez son voisin, pour que nous présentions au malheureux propriétaire du vase mes regrets et les siens. Le duc de Cossé nous reçut fort bien ; c'était un homme de grande taille, dans la force de l'âge, et dont tous les traits respiraient la noblesse. Il ne portait pas de perruque ce soir-là, et ses cheveux bouclés, d'un fort beau blond, me parurent le pendant masculin de ceux, si merveilleux, de ma maîtresse. Je me souviens de m'en être fait d'emblée la remarque.

— N'y songez plus, Madame, la chose est sans importance, assura-t-il du meilleur ton. Ce vase était médiocre – je maintiens en vérité qu'il était fort beau ; et je voudrais que votre Zamor m'en cassât d'autres, si cela me vaut à chaque fois le plaisir et l'honneur de vous recevoir.

On n'est pas plus grand seigneur ; le compliment produisit tout son effet sur Madame, et je compris sur-le-champ que le duc de Cossé venait en un mot de se hisser dans les faveurs de ma maîtresse, peut-être même de gagner une place dans son cœur.

Bien qu'attendri par cette précocité dont je faisais preuve en tout, le Roi entendait bien ne pas laisser à des femmes complaisantes le soin de m'instruire des réalités du monde. A ses yeux, il importait qu'un jeune homme convenable reçût au moins les bases d'une éducation virile. Certes je ne pouvais prétendre à nulle naissance ; néanmoins le rang où me maintenait l'amitié constante de Madame voulait que je vive en permanence dans le cercle du Roi, et par d'autres voies que le service ordinaire. Aussi Sa Majesté fit-elle en sorte qu'un neveu de Madame par alliance, le vicomte Adolphe du Barry, me dispensât les rudiments du noble art.

Mon jeune maître d'armes était le fils du « Roué » Jean du Barry, ce sulfureux beau-frère auquel la Comtesse devait l'essentiel de sa fortune. Jean-Baptiste du Barry, dit Adolphe, dit encore par sa famille Lolo, occupait alors aux

Ecuries royales le rang de Mestre de camp de cavalerie et se parait d'une avalanche de titres, dont celui, parfaitement usurpé, de vicomte, qui n'étalaient rien d'autre que sa vanité démesurée et une insatiable soif de puissance. Cela mis à part, il était beau et il avait vingt-quatre ans. Bien fait de sa personne, plein d'une grâce juvénile qu'il n'hésitait pas à répandre partout, il faisait la fierté de Madame qui l'avait élevé plus ou moins et se considérait comme sa seconde mère. Elle lui recommanda bien haut d'user de douceur et de ménagements avec moi, ce dont il se révéla incapable, faisant preuve au contraire d'une brutalité telle qu'il faillit me blesser deux ou trois fois. Et je ne dus qu'à la souplesse de mon âge d'échapper à ses furieuses charges. Or, dès les premières passes, il se confirma que rien ne me prédisposait au métier des armes ; le simple fait de tenir le sabre ou l'épée suffisait à me glacer d'effroi... Alors, comment décrire mon état lorsqu'il était question d'en user vraiment ?

En fait, je me montrai si piètre bretteur, lors des premières leçons, que le Vicomte, embarrassé de mes embarras, décida de retrancher de son enseignement tout ce qui pouvait révéler trop crûment la nullité de son élève. C'est dire si les cours se résumèrent à peu de chose – et cependant c'était encore trop. Incapable en tout point d'accomplir les gestes qu'il m'indiquait, je fondais en larmes à la moindre de ses observations. Le désastre fut même si complet qu'il déborda bientôt les murs des Manèges, pour se répandre et faire des gorges chaudes dans tout Versailles. Après cinq ou six leçons, l'on dut estimer que désormais c'étaient l'honneur de la Comtesse et le crédit de son neveu qui étaient en cause, et l'on cessa de m'importuner. J'en fus ravi d'abord ; puis je saisis, dans la manière dont Madame se mit à me traiter, une légère nuance de regret confinant au mépris – et j'en conclus, peut-être un peu vite, que plus rien désormais ne serait comme avant. Mille fois j'ai maudit cette idée saugrenue du Roi, d'avoir prétendu faire de moi un jeune page tout armé.

Si l'on accordait alors une telle importance à ce que la Cour, mais aussi la Ville, pouvaient penser de ma maîtresse, c'est qu'elle avait fini par acquérir, sinon un rôle véritable dans les grandes affaires du royaume, du moins une position qui ne lui permettait plus de les ignorer. Renforcé naturellement par l'arrivée d'une Dauphine qu'il ne pouvait s'empêcher de regarder comme sa création, le duc de Choiseul avait repris avec beaucoup de hauteur et de mordant sa campagne de dénigrement de tout ce qui touchait à Madame – à commencer par le Roi lui-même ! Après quelques mois d'une accalmie qui se révélait n'avoir été qu'un répit trop court, les attaques avaient donc repris sous la forme surtout de ces pamphlets dont il m'arrivait de retrouver des exemplaires glissés jusqu'au fond de mes poches.

De son côté, Madame ne pouvait plus demeurer inerte face aux bordées d'injures du parti Choiseul. Ecoutant ses propres sentiments autant que les conseils de Papa-Maréchal, elle en était venue à fédérer son propre clan, que l'on disait « barrien », à la Cour, et dont le duc d'Aiguillon, neveu du Maréchal, se voulait la cheville ouvrière et l'âme damnée. Or, ce duc d'Aiguillon, dont notre petit cercle appréciait l'esprit insinuant et délié, les manières courtoises et même chevaleresques, ce brave homme qui avait toujours un mot gentil pour moi, était alors au centre d'un contentieux d'autant plus grave qu'il était fort artificiel avec le parlement de Bretagne, et qui avait dégénéré en procès devant le Parlement de Paris. J'étais bien jeune alors pour démêler tous les aspects d'une affaire assez nébuleuse ; et si j'ai eu, depuis, l'occasion d'affiner par des lectures la perception confuse que j'en avais alors, il ne me paraît pas que ce soit ici le lieu d'en faire état.

Disons seulement que le Roi, dans cette affaire, avait pris fait et cause pour le duc d'Aiguillon contre ces Messieurs du Parlement, et qu'à la fin cela devait coûter son poste à l'homme qui, en Monsieur de Choiseul, défendait toujours les robins. L'on a beaucoup dit que Madame avait influencé le Roi sur ce dernier point, et d'ailleurs je l'ai souvent entendue s'en vanter elle-même par la suite... Il est parfois si tentant d'augmenter le rôle que l'on a pu jouer dans certains événements – moi-même, c'est un travers dont je ne prétends pas m'être toujours gardé. Mais à la vérité, je crois que le souci de Sa Majesté de ne point se laisser entraîner dans une guerre coûteuse contre son cousin d'Espagne fit bien plus pour le renvoi du ministre que l'hostilité plus ou moins déclarée de ma maîtresse...

Au reste, ces grandes affaires de la politique ne me concernaient que de loin. Puissé-je d'ailleurs y être resté étranger toute ma vie ! Pour l'heure, en cette fin d'année, j'avais bien d'autres sujets de préoccupation. Notamment, c'est vers ce moment que survint dans ma petite vie un événement aussi important pour moi que l'était, pour le royaume, le renvoi du duc de Choiseul.

Un soir, bien après le thé, dans ce long moment un peu flottant qui, pour le Roi, précédait deux fois par semaine son souper « au grand couvert », je jouais tranquillement aux osselets dans un dégagement, quand mon attention fut attirée par un rire de gorge qui, sans nul doute, était celui de ma maîtresse ; mais en même temps, je ne pouvais me défendre de lui trouver certain accent inhabituel. Assez intrigué par l'émotion que je croyais y percevoir, je quittai donc mon jeu et, poussant doucement la porte mal fermée de sa chambre, je me mis dans la situation d'apercevoir ce que je n'avais point encore imaginé.

Madame et le Roi plus ou moins dévêtus semblaient graves et appliqués. Elle était sur le bord de son lit, dont il me paraissait qu'elle allait glisser à tout instant, renversée parmi ses dentelles d'où jaillissaient ses seins blancs et roses, et une seule jambe repliée gainée d'un bas de soie tenu d'un ruban ; le Roi, debout devant elle, la recouvrait presque entièrement et, s'activant sur son corps offert, haletait comme on le voit faire aux coureurs de voitures après une traite. Je demeurai un long moment silencieux, un peu penché dans une pose inconfortable, jetant sans cesse des regards furtifs vers le couloir derrière moi, sans pour autant cesser d'observer l'exercice tout à fait inédit pour mon esprit d'enfant, auquel se livraient les deux amants. Une sorte de jeu qui paraissait aussi délicieux qu'inquiétant. Pour un peu, j'en aurais pleuré ; mais je me contentai, sur le coup, d'ouvrir grands les yeux et de tenir mon souffle.

Cette découverte eut en tout cas le plus grand effet sur mon esprit fiévreux. Prenant soudain conscience des mystères de la chair, je n'eus de cesse que d'explorer mon propre corps. Ma peau très sombre me paraissait jurer sur la pâleur de celle de Madame, et mes mensurations modestes, sur celles, plus généreuses, du Roi. Comparé à ce que je venais de surprendre, mon propre membre, notamment, me paraissait affreusement minuscule, et cela n'allait pas sans me perturber. Soudain plongé dans les affres, je m'assommais de questions pour lesquelles ne s'offrait nulle réponse.

Ces émois ne tardèrent pas à me valoir une révolution de l'esprit et des sens, dont personne, à commencer par moi, ne soupçonnait l'importance. Il me devint insupportable d'être traité comme un petit enfant, et ce qui, hier encore, m'avait paru agréable, des sourires bienveillants, de petites caresses sur la joue, me donnait maintenant les plus inavouables envies de meurtre. Quelqu'un en moi demandait à tout découvrir, tandis qu'un enfant s'évanouissait dans les brumes de son passé... Un soir, je surpris une conversation à mon sujet entre Madame et son voisin, le duc de Cossé ; ma maîtresse s'y plaignait d'avoir perdu un bambin charmant, et de se retrouver soudain en charge d'un grand garçon un peu niais.

— Qu'à cela ne tienne, disait le Duc, faites-le donc déniaiser !

Je ne savais trop ce qu'il entendait par là ; mais j'en imaginais assez pour redouter plus que tout cette éventualité, et souhaiter que Madame ne suivît en rien son conseil. Il n'empêche : en quelques semaines, ma personnalité s'était transformée ; or, je n'étais pas sûr à prétendre quitter trop tôt les rives de l'enfance, ou à posséder assez d'empire sur moi pour aborder sans trop de risque celles de l'adolescence.

6

L'année de l'éléphant

J'allais sur mes neuf ans et le monde, enfin, m'apparaissait sous son vrai visage. Je commençais à comprendre que la motivation des gens n'était pas toujours ce qu'ils en montraient, et qu'elle obéissait parfois à des ressorts profondément cachés, au demeurant fort naturels. Avec le zèle un peu brouillon des initiés de fraîche date, je m'ingéniai dès lors à trouver des raisons licencieuses aux moindres affaires de la Cour, et m'imaginais tous ces grands seigneurs et toutes ces belles dames lutinant à l'envi dans le secret de leurs alcôves. Si je ne gagnai point là une haute idée du genre humain, je n'en éprouvai pas non plus de dégoût véritable ; au fond, ce nouveau jour porté sur la société me la faisait paraître plus légère.

Mon opinion changeait donc sur les courtisans, certes, mais aussi sur des destinées plus ordinaires. Moi-même je n'étais pas certain de demeurer longtemps étranger à ces intérêts secrets qui paraissaient tout régir. Ce me devint même un amusement que d'imaginer les jeunes personnes qui me plaisaient bien dans des postures singulières ou de scabreuses situations qui, la veille encore, ne m'auraient pas même effleuré l'esprit. Or, pour intérieures et très secrètes qu'elles fussent, ces visions entraînèrent bientôt des bouleversements extérieurs qui ne se pouvaient ignorer... Je me sentais soudain mieux accepté des valets de pied et des

laquais qui, jusque-là, m'avaient tenu à l'écart de leurs
conciliabules égrillards ; surtout je suscitais abruptement,
chez les jeunes filles dont je croisais le regard, certains rires
et quelques rougissements bien troublants.

Curieusement, cette révolution intime eut d'abord pour
conséquence de me rapprocher de la religion. Il me semblait en effet que, tant que je n'aurais pas reçu le baptême,
je n'aurais aucune chance de franchir la distance me sépa-
rant des chrétiens tout blancs. « Va-t-en, l'anabaptiste, tu
es notre mouton noir », avait lâché un porteur de Madame
Victoire, qui devait se croire spirituel, un jour où je l'avais
prié de me donner à priser un peu de son tabac. De fait, je
craignais bien d'être à jamais considéré comme l'étranger
le plus lointain – sauf à devenir fervent catholique et à présenter de cette façon quelque brevet de conformité.

Mademoiselle Chon, a qui j'avais confié mon espoir
d'être baptisé, me promit d'en toucher un mot à Madame :
ce qu'elle fit, un matin que nous accompagnions la
Comtesse à la chapelle, en remarquant fort à propos que
j'avançais en âge et n'avais toujours pas reçu le premier
sacrement.

— Bien sûr que nous allons donner l'onction à cet
enfant, dit Madame.

Et se tournant vers moi :

— Cela t'amuserait-il, mon Zamor ?

Elle dut lire dans mes yeux toute l'impatience du monde,
puisqu'elle partit aussitôt d'un grand rire, avant d'ajouter à
l'adresse de sa belle-sœur :

— Voyez ce qu'on peut lui faire entrer de religieux dans
la tête, et comment le reste se peut faire...

Ce qui plaisait à Madame, dans la perspective d'un tel
baptême, c'était le parti qu'elle pourrait tirer du choix d'un
parrainage assez illustre pour lui être utile. « On n'a pas
tant d'occasions de faire honneur », disait-elle, à moitié
sérieuse. Elle devait finalement arrêter son choix sur un
prince du sang, le comte de la Marche, fils du prince de

Conti, qui dut trouver plaisant d'être mêlé à pareille aventure, sans parler des avantages qu'il y trouvait... En attendant, je devais du moins recevoir des rudiments d'instruction religieuse, et l'on chargea le père Bruneau d'y pourvoir, ce qui vint ajouter encore un peu au nombre de leçons dont il m'accablait déjà.

C'est du moins à la faveur de ce nouvel enseignement que je me hasardai à lui demander quelle attitude il convenait d'adopter face aux jeunes filles.

— Surtout, bien te garder des femelles ! me répondit-il. Elles ne t'apporteraient que soucis et malheur.

Je me le tins pour dit, et n'y revins jamais de front. Simplement je me permis par la suite, avec toute la prudence possible, de poser quelques questions qui m'obsédaient, et notamment sur ce qu'était Madame à l'égard du Roi.

— Une amie sûre, une jeune compagne, une conseillère, me répondit le bon père.

— Et sa maîtresse ? insistai-je.

— Veux-tu bien te taire, malheureux !

Mon précepteur perdit sur-le-champ toute contenance ; il devait lui paraître affolant qu'un sauvage à peu près ignorant de tout fût lui-même au fait de considérations qui, pour sa part, le scandalisaient en secret.

Tout cela, joint à la routine de la Cour et au pressentiment que jamais, étant qui j'étais, je ne pourrais accéder moi-même aux voluptés de cette vie, me causa de violents tourments. Aux derniers feux de l'été 1771, je fus ainsi la proie d'idées bien sombres. Je reconnus, devant Madame et plusieurs convives, envier le sort d'un jeune coureur qui, le matin même, avait été renversé par une voiture et qui en était mort. Sur quoi je fondis en larmes et fus agité de sanglots assez impressionnants pour que Mademoiselle Chon, que rien ne prenait d'ordinaire au dépourvu, demeurât coite et sans réaction. C'est la bonne maréchale de Mirepoix qui, ce jour-là, se mit en peine de me consoler. Fort opportunément, elle m'escamota de chez Madame avant que le Roi n'y entrât. Puis, avec la confiance apaisante de ceux que le risque d'un pieux mensonge ne fait point reculer, elle me certifia que je serais baptisé dans l'année – ce qui du reste ne me consola guère : n'avais-je pas des raisons plus profondes de ne plus croire en la vie ?

Il y a quelque ironie à songer que je dépérissais dans l'abondance, que je perdais pied au cœur même de la puissance et de la gloire, et que je voulais rendre l'âme à l'heure même où ma maîtresse jouissait de tout l'éclat d'une faveur à son apogée. Début septembre, Madame devait en effet connaître son plus grand triomphe, en recevant le Roi et la Cour chez elle, à Luciennes, pour un souper qui se devait d'être, bien sûr, inoubliable. Il s'agissait d'inaugurer le pavillon neuf qu'elle venait d'y faire édifier à grands frais par Monsieur Ledoux, un jeune architecte dont le génie était tourné vers l'antique. Une immense table avait été dressée dans la grande salle à manger corinthienne, couverte de marbres et de glaces, et dont le plafond, peint par Monsieur Boucher, représente le couronnement de Flore. A cette table, ornée de gigantesques surtouts en forme de baldaquins, s'étaient assis une trentaine de seigneurs et de dames, très entourés et brillamment servis. Malgré la chaleur, la soirée fut magnifique. Toujours pétri d'idées noires, je m'y préparai comme à regret, contemplant sans aucun enthousiasme l'habit et la toque de soie rose que l'on m'avait commandés pour la circonstance.

Cependant, grisé peu à peu par les préparatifs, je me déridai dans le cours de la journée, au point de me trouver tout à fait réjoui quand nos prestigieux invités arrivèrent. La curiosité de la Cour portait ce soir-là sur le petit péristyle dorique dont Monsieur Ledoux avait cru bon d'orner la façade du pavillon. Tout le monde était suspendu aux lèvres du Roi qui, dès qu'il fut descendu de voiture, dit, en apercevant les colonnes : « Elles ne font pas mal, pourtant. » De soulagement, Madame laissa échapper un soupir. Puis le Roi, s'approchant encore du portique et, l'envisageant de plus près, rendit au sujet des colonnes une sentence définitive qui, l'on s'en doute, emporta l'adhésion générale : « Elles font bien », conclut-il avant d'entrer. Trois mots qui dédommageaient Madame de toutes ses peines mais qui ne suffirent pas, cependant, à chasser les nombreux nuages accumulés sur cette soirée. Notamment, l'architecte n'ayant pas songé à ventiler spécialement les offices installés au sous-sol, les malheureux cuisiniers y suffoquèrent littéralement, ce qui ne fut pas sans causer de l'embarras. Pour ma part, ces petits soucis m'amusaient plutôt ; je me sentais renaître à mesure que l'on avançait plus avant dans la nuit ; et quand les fusées d'artifice embrasèrent le ciel de Luciennes et la vallée de la Seine, je me laissai submerger d'un coup par l'allégresse générale. Il semblait que mes états d'âme aient enfin cédé la place à un émerveillement tout enfantin.

Au reste, mon étoile brillait assez fort dans les résidences royales – à la mesure, en fait, de la considération que me portait le monarque lui-même. Sa Majesté s'était habituée à me voir officier dans les cabinets, notamment pour le service des boissons, dont je m'acquittais désormais à merveille. Louis XV étant un prince d'habitude, il ne voulait personne d'autre en cet emploi, et me couvrait, à sa manière, d'attentions aussi brèves et mesurées qu'elles étaient foncièrement bienveillantes. J'étais assurément bien placé parmi les familiers du Roi, et présentais sur nombre d'entre eux l'avantage inappréciable de l'amuser. Ce prince riait à mes grimaces, à mes attitudes, à mes niches, mais sans y mettre cette condescendance qui me faisait regarder par tant d'autres comme une manière de singe en plus grand et en moins velu.

La famille royale était loin de suivre son auguste exemple. Pour le Dauphin, pour les Enfants de France, pour les Princesses naturellement, je n'étais jamais, et ne serais toujours, que l'attribut le plus voyant d'une « créature » déjà bien trop ostentatoire elle-même, et ne méritais guère plus d'attention que celle que l'on réserve d'ordinaire aux phénomènes résolument marginaux. L'archiduchesse Marie-Antoinette, en cette matière comme en d'autres, donnait la mesure. Un soir à Marly où je me retrouvai par hasard, dans le grand salon octogonal, au milieu du petit aréopage formé par cette princesse et par ses dames, la Dauphine, qui ne m'avait jusque-là honoré d'aucun regard, riait d'une petite avanie qu'elle avait eue dans les jardins, de si bon cœur qu'elle en fit tomber son éventail ; dix mains se tendirent pour le ramasser, mais ma souplesse d'enfant fit la différence. Je fondis sur l'objet avec la précision d'un oiseau de proie. Je présentais déjà son éventail à la Dauphine quand, grimaçant soudain et se récriant, elle se plaignit que j'eusse touché à un objet qui lui appartenait.

— Ecartez cette chose-là de ma vue ! lança-t-elle avec une hauteur surprenante.

Très mortifié par l'incident, et braqué pour la vie contre cette princesse, je courus me réfugier dans les jupes de ma maîtresse à qui, tremblant de tous mes membres et pleurant à m'en étouffer, je contai en hoquetant ce qui venait de se passer.

L'incident fut d'autant plus mal perçu de ce côté-ci, que c'était justement l'époque où l'on se demandait quand et comment la Dauphine, que sa famille avait chapitrée en ce sens, allait enfin adresser la parole à la favorite. La position de Madame, fort consolidée par le renvoi du duc de Choiseul et la nomination au Conseil du duc d'Aiguillon, justifiait maintenant que la Dauphine consentît à cet effort, sans se faire prier davantage. A la fin, il parut établi que l'échange de politesses entre les deux rivales aurait lieu dès le Jour de l'An. C'était devenu l'objet d'une pesante attente. Du reste, Madame s'y préparait comme s'il avait dépendu de sa propre attitude qu'elle obtînt ou non satisfaction sur ce point. Des journées entières, elle ne fut guère capable de parler d'autre chose à tous les intimes qui la venaient visiter, entre deux grandes audiences.

Enfin, dans la soirée du 1er janvier 1772, le moment crucial arriva. S'approchant de Madame au milieu d'une foule aux aguets qui retenait son souffle, la Dauphine finit par lâcher d'un ton parfaitement artificiel ces quelques mots qui, aussitôt, firent le tour du royaume : « Ne trouvez-vous pas qu'il y a bien du monde aujourd'hui à Versailles ? » Je ne sais plus exactement ce que lui répondit la Comtesse ; non que je n'aie entendu raconter cela mille fois mais, justement, parce que j'ai trop connu de versions pour savoir désormais laquelle choisir. Je me souviens seulement que la réponse, pour être assez juste, ne prêtait à aucun commentaire...

Quelque temps après cet événement – tout à fait capital, comme chacun voit, pour l'histoire du genre humain –, un autre survint, qui retint davantage mon attention. Dieu sait si le protagoniste en était imposant : nous vîmes arriver à Versailles, à pied avec sa suite, un éléphant que le gouverneur de Chandernagor offrait en hommage au roi de France. L'on se racontait avec amusement l'excitation des populations, dans tous les bourgs qu'avait dû traverser l'animal, jusqu'au Roi qui se félicitait ouvertement de l'intérêt manifesté par ses sujets à ce qui n'était pas seulement un phénomène naturel, mais aussi une preuve du dévouement à son service de nos lointains comptoirs des Indes. L'éléphant fut installé dans un pavillon de la Ménagerie, à l'extrémité du bras méridional du Grand Canal, et traité avec les derniers égards.

Dans les jours qui suivirent son arrivée, je me rendis chaque fois que possible dans cette partie du parc, afin d'assister au bain quotidien du pachyderme, et pour le voir avaler, entières, d'étranges brioches qu'on lui donnait à manger, après les avoir trempées dans de la bière pour les rendre, disait-on, plus digestes. Dans l'œil chaleureux du gigantesque animal, et dans l'étrange rictus qu'il laissait paraître, je voulais voir un message des miens, venu directement de ma terre natale. Du reste, j'étais fier – ô combien – de la taille et de la splendeur de cet animal arrivé tout droit de mon pays. Son prestige ne manqua d'ailleurs pas de rejaillir un peu sur moi ; et je vis des seigneurs qui, depuis trois ans, ne m'avaient jamais adressé la parole me prier soudain de leur fournir des précisions sur ce Bengale dont ils paraissaient réaliser seulement que j'étais moi-même originaire. Qu'importe, je satisfaisais avec un même plaisir à la curiosité de tous parce qu'il me paraissait qu'enfin, grâce à ce nouveau pensionnaire, la Cour allait me voir autrement, et qu'il serait bientôt loisible à n'importe qui, sans crainte de déchoir, de m'adresser tout bonnement la parole.

Surtout, l'admiration dont cet animal fut l'objet eut pour effet de me rendre confiance en moi-même. Fier enfin de paraître tel que j'étais, je me sentis pousser des ailes. Le printemps aidant, je percevais une sève nouvelle qui montait en moi, pour s'emparer de toute ma personne et la rendre plus vive et plus forte. Pour la première fois, le désir s'emparait de moi. Naturellement, il se focalisa sur la personne de ma maîtresse, qui en était l'unique objet. Je me souviens qu'un matin, alors qu'elle était étendue sur son lit dans l'un de ces déshabillés vaporeux qu'elle affectionnait, je fus troublé par son buste très dénudé, au point de verser du chocolat à côté de la tasse. Madame me gronda bien un peu pour la forme, mais au fond, je sus qu'elle avait compris la cause de mon émoi, et s'en trouvait flattée.

Quand j'en vins à passer des heures à ne plus pouvoir songer à autre chose qu'à des formes obsédantes, je résolus de m'en ouvrir au père Bruneau. Mal m'en prit ; non seulement il me traita de débauché mais, horrifié ou feignant de l'être, il fit part à Madame de confidences que pourtant je ne lui avais faites que sous le sceau de la confession. J'en éprouvai une secrète défiance pour les pratiques de la religion, en même temps qu'une sorte de honte vis-à-vis de la Comtesse, dont, par la suite, je ne me défis plus.

La date de mon baptême fut arrêtée au 4 juillet 1772. J'avais déjà, pour m'y préparer, assisté à celui d'un petit enfant dont Madame avait accepté, comme pour moi, d'être la marraine. Pendant la cérémonie, juché sur un prie-Dieu au milieu de l'assistance, je n'avais point quitté des yeux ma maîtresse ; scrutant passionnément l'émotion qui se peignait sur son visage et qui m'avait soudain empli d'une immense tendresse pour elle, et d'une gratitude non moins grande. Je n'eus de cesse, par la suite, d'espérer que mon propre baptême serait lui aussi un moment de perfection. J'en imaginais à l'avance tous les détails ; je voyais la robe blanche, constellée de perles, que revêtirait Madame pour la circonstance ; je m'imaginais les boutons d'émeraude, cadeau du Roi, qu'on coudrait à mon habit de gros de Naples galonné d'argent. Madame aidant elle-même les couturières pour que tout fût prêt à temps...

Quand vint enfin la veille de la cérémonie, je ne tenais plus en place. Courant de l'un à l'autre dans l'appartement, « saoulant tout le monde » au dire du valet La France, je cherchais le moindre prétexte pour rire et laisser passer l'excitation que je sentais monter en moi. J'aurais voulu que le monde entier partageât mon allégresse, et regrettais de voir que ma maîtresse, préoccupée par les grandes affaires, ne participait que de loin aux préparatifs. Enfin, le matin de mon baptême étant là, je me levai en même temps que le soleil et procédai à la plus raffinée des toilettes. Au point d'être fin prêt à sept heures, pour une cérémonie prévue à neuf !

C'est la Cuignet, Félicité pour le service, première femme de chambre de Madame, qui me conduisit à pied jusqu'à la paroisse Notre-Dame. Je l'aimais bien, notre Félicité ; c'était une brave femme, un peu forte et toujours pleine d'entrain. Nous pressâmes le pas à la vue du parvis, où nous attendait le père Bruneau.

— Entrons, nous dit-il, vous n'êtes pas en avance.

L'église, que j'avais connue très fréquentée du temps de mon séjour chez le bon père, était déserte à cette heure-là, hormis une vieille femme en prière et un méchant homme à moitié bossu, qui s'appelait Bellot et se révéla être le concierge du comte de la Marche. Quand je vis arriver le curé Collignon tout paré de ses vêtements sacerdotaux, je compris que la cérémonie n'aurait rien à voir avec celle que j'avais tant admirée l'année passée. Ainsi donc, le très haut et très puissant Prince Monseigneur Louis François Joseph de Bourbon, comte de la Marche, mon supposé parrain, s'était fait représenter par Dominique Bénigne Bellot, son concierge, et ma marraine, la haute et puissante Dame Bénédicte de Vaubernier, comtesse du Barry, par... Félicité Cuignet, sa première femme de chambre ! Serrant les dents pour contenir ma douleur et prenant sur moi de ne point éclater en sanglots, je n'en laissai pas moins couler des larmes amères, que l'on mit sur le compte d'une bien émouvante piété. Mon baptême fut expédié en quelques minutes, à la façon d'une formalité sans conséquences, puis je suivis Félicité au pas de course jusqu'au château, sans dire un mot – mon cœur révulsé ne l'aurait d'ailleurs pas permis. La pauvre femme n'avait pas une minute à perdre ; elle devait avoir repris son service à dix heures.

Au reste, personne ne fit le moindre cas d'une cérémonie dont j'avais trop attendu, à commencer par un surcroît de considération. Madame la toute première, indifférente à ce que j'en pouvais penser, mit ce jour-là un point d'honneur à ne s'y point appesantir ; ni elle ni sa société ne s'enquirent seulement de mes impressions ; et si je n'avais surpris la Cuignet mandant sous cape à l'intendant que « Zamor était devenu bon chrétien », j'eusse même pu douter d'avoir été seulement baptisé le matin même ! Par défi, toutefois, je sortis de mon tiroir une petite croix d'argent que m'avait donnée, jadis, le capitaine de La Briselaine, et l'arborant bien fièrement par-dessus ma cravate, me mis à parader dans tout l'appartement avec cet insigne en sautoir. Mais c'était compter sans l'efficacité de Mademoiselle Chon qui eut tôt fait, naturellement, de la repasser prestement sous mon col. Pour chrétien que je sois devenu, je n'en restais pas moins le négrillon de « la créature ».

7

Monsieur le Gouverneur

Ce qu'aucun baptême ne pouvait accomplir, la coutume devait s'en charger. A force de me voir dans les jupons de la Comtesse et à l'oreille du Roi, l'on finissait en effet, dans tous les étages de la Cour, par m'accepter plus ou moins comme j'étais ; même ceux que ma peau noire avait d'abord le plus rebutés me gratifiaient maintenant de sentiments, disons, courtois. J'étais, certes, bien loin de faire jamais partie des leurs ; une différence irréductible me tiendrait à vie distinct de cette humanité-là... Cependant on voulait bien, désormais, me concéder cette attention familière qu'on réserve d'ordinaire, sans distinction, aux petits chiens et aux objets d'art. Autant dire que je faisais partie du décor.

Madame elle-même n'échappait pas toujours à l'érosion de sentiments que procure une habitude trop suivie. Son affection pour moi s'étiolait peu à peu, dans l'exacte mesure où s'évanouissait l'animosité des autres ; elle n'en conservait pas moins pour son « colibri des îles » des accès quasi maternels et que suffisait à réveiller la moindre indélicatesse à mon endroit. Ainsi, le jour où de jeunes seigneurs, croyant faire leur cour à la Dauphine, m'enfermèrent une matinée entière dans un dégagement du corps des suisses, Madame entra dans une colère noire ; prenant à témoin le Ministre lui-même, elle exigea qu'on recherchât les coupables afin de les réprimander ; mais soit nullité, soit complaisance, les services de la Prévôté se montrèrent là-dessus d'une parfaite inefficacité...

L'état vulnérable où je me trouvais réduit était au demeurant, pour la Comtesse, un sujet d'inquiétude. Elle le dit même un soir à sa belle-sœur, lors d'un échange à mi-voix dont je ne surpris que les derniers mots. « Tant que Zamor ne sera pas protégé par quelque charge, lui confiait-elle, mon esprit ne connaîtra pas de repos. » De fait, ce devint l'une de ses obsessions que de me procurer une situation qui pût survivre à la faveur, aussi brillante que temporaire, dont elle était l'objet.

Comme toujours, la chère dame eut gain de cause. Un jour que nous étions à Luciennes, le Roi et Madame prirent un repos bien innocent dans le salon en « cul de four » du fameux pavillon. Il faisait assez chaud, et l'on n'entendait guère, dans l'air lourd, que le bourdonnement intermittent d'une mouche. Je m'amusais à tromper l'attente d'un petit singe nommé Phénix, en lui refusant, au dernier instant, des cerises que je lui donnais d'abord à contempler. Ses gémissements et ses mimiques désabusées faisaient sourire le Roi qui, depuis un moment, avait ouvert un œil pour observer notre manège. Fier d'avoir ainsi piqué la curiosité du Maître, j'inventai des cabrioles auxquelles se joignit le singe, si bien que le Roi se mit à rire de bon cœur. Madame qui, depuis l'ottomane, n'avait rien perdu de cette scène, ne laissa point s'envoler une occasion si belle.

— Voyez, Sire, dit-elle, si mon Zamor est innocent et drôle.

— Je vous concède au moins la drôlerie, dit le Roi.

— Ce qui me fend le cœur, en le voyant jouer ainsi, c'est de penser à ce qu'il adviendrait de lui si je n'étais plus là...

Ce monarque avait l'esprit vif ; il décela dans les propos de sa bien-aimée une demande à peine voilée.

— Que voulez-vous pour Zamor ? Que je le nomme premier singe du roi de France ?

Madame, de son côté, était assez légère pour entrer sans

peine dans les dérobades de Sa Majesté ; mais elle savait aussi montrer de la persévérance. Elle fit si bien, ce jour-là, que le Roi finit par annoncer, de guerre lasse, qu'il érigeait Luciennes en fief et en nommait « Monsieur Zamor gouverneur à vie, avec les appointements de six cents livres ». Sur quoi :

— Approchez donc, me dit Madame, et remerciez Sa Majesté de ses bienfaits.

Je vins mettre un genou à terre devant mon suzerain, mais sans mesurer encore l'importance de la grâce qu'il venait de me faire. Or, quelques jours après, je recevais de la chancellerie des lettres en bonne et due forme, faisant de ma petite personne un officier irrévocable de la Couronne ! Plût à Dieu que les choses fussent restées en l'état où elles étaient alors ; mon brevet de gouverneur à vie me tiendrait aujourd'hui à l'abri de la misère où l'on me voit réduit.

A tout seigneur, tout honneur ; je ne manquai pas de disposer bientôt, dans le parc de Luciennes, d'un petit pavillon à toit de chaume, que Madame fit édifier à mon usage, et que j'eus bientôt la lubie d'aménager selon mes goûts. J'obtins à cette fin de demeurer toute une semaine là-bas, dans la seule compagnie des suisses veillant sur la propriété. En l'absence de subsides, mes travaux de décoration ne pouvaient mener bien loin ; cependant, je tâchai de compenser la modestie des moyens par l'énergie de leur mise en œuvre. Mon intention, fort puérile j'en conviens, était de consacrer, dans l'étendue de mon pavillon – Madame le surnommerait bientôt ma « paillote » –, un véritable temple à celle à qui je devais tout et pour qui j'eusse accepté, peut-être bien, de mourir : cette belle fée dont Papa-Maréchal m'avait, jadis, confié avec tant de respect le minuscule portrait.

C'est ainsi que je mis dans cette chambre tout ce qui, à Luciennes, pouvait m'évoquer la divine présence de la

Comtesse. Il y avait là, pêle-mêle, un portrait de second ordre emprunté au boudoir du château, une écritoire dont elle se servait peu, de grands cartons marqués à son chiffre, des étoffes personnelles, des colifichets, et même une fragile chemise de percale, abandonnée là dans la perspective d'un prochain séjour. La réunion de tout cela tenait affreusement du reliquaire, mais ce n'est pas ainsi que je l'envisageais alors ; il me semblait plutôt que c'était un peu de l'âme de ma bien-aimée que retenaient captive, si près de moi, ces choses dérobées à son intimité. Le malheur voulut que Madame s'ennuyât trop tôt de Luciennes ou de son gouverneur et que venant à l'improviste dans le courant de la semaine, elle me surprît allongé sur mon lit, dans une mise pour le moins défaite, et pressant contre ma peau brûlante cette parure que je venais de soustraire à sa garde-robe.

— Mais enfin, Zamor, mais... que faites-vous là ?

En vérité, il ne fallut pas longtemps à Madame pour juger du transport où me jetaient mes sens en plein éveil. Sans doute plus surprise que réellement fâchée, elle me dit néanmoins sa déception, et me fit défense absolue, pour l'avenir, de prendre quoi que ce fût chez elle, sans l'en avertir.

— Maintenant, dit-elle en détournant les yeux de mon désordre, vous allez remettre ce déshabillé où vous l'avez pris, et me faire le plaisir de ne plus vous échauffer l'esprit de chimères inconvenantes.

Je ne sais quel sens elle donnait à ce dernier mot ; mais je voulais croire qu'elle-même partageait mes regrets devant l'opposition des conventions humaines au libre cours de penchants innocents et, me semblait-il, bien naturels.

De ce jour, nos relations n'en prirent pas moins un tour contraint, malaisé, et qui l'indisposait elle-même tout en me faisant de la peine. En vérité j'étais au supplice. A choisir, j'eusse préféré mille fois que Madame, sur le coup, se montrât plus fâchée qu'elle ne l'avait paru, et qu'elle sût par la suite oublier ce qu'elle avait vu. Au lieu de quoi, il était patent qu'elle ne voyait plus en moi qu'un amoureux transi, dont il lui faudrait barrer les avances au moindre geste. Un importun, voilà ce que j'étais devenu à ses beaux yeux ; un importun bénéficiant, par la force des choses, de ses entrées familières.

Ce fut, je crois bien, à cet époque que la Comtesse, pour contrebalancer ce que la Cour interprétait comme un affadissement de la passion royale, se mit dans l'esprit de suivre l'exemple de Madame de Maintenon sous le règne précédent et, qui sait, d'obtenir du Maître qu'il l'épousât. Après tout, feu la Reine n'était plus depuis bientôt cinq ans, et toutes les chancelleries d'Europe, après avoir agité la question d'un possible remariage, avaient fini par admettre que Louis XV ne convolerait certainement plus avec une personne de sang royal. Pourquoi, dès lors, n'aurait-il pas succombé au besoin de mettre son âme en paix avec Dieu, quitte à épouser une fille sans naissance ? On en parlait, en tout cas, dans l'entourage de Madame – quoique avec une nuance de scandale et de secret, qui aurait dû suffire à lui faire douter de la chose.

Pour moi, si la rumeur d'un tel mariage me troublait assurément, ce n'était pas de la façon qu'on l'imagine peut-être. Quelque inouïe que fût alors ma vanité, elle n'allait pas, en effet, jusqu'à me poser en secret rival du roi de France ! En fait, ce qui me tracassait, c'était, en tant que telle, l'idée même du mariage. La simple mention m'en donnait des crispations de nerfs. En effet, tout ce que je savais de ma position à la Cour m'interdisait de songer à la moindre union légitime, bien évidemment avec Madame, ce qui me semblait imparable, mais aussi avec une quelconque jeune Française, ce qui l'était moins. Comment, adolescent, accepter un tel destin ? Un mur se dressait devant moi, un mur élevé qui me barrait l'horizon. Je sombrai, du coup, dans une mélancolie plus sombre encore que celle dont j'avais souffert jusque-là. Certains jours, la vie ne me paraissait même plus digne d'être vécue.

Un matin fort triste de l'automne 1773, comme j'errais dans l'Orangerie, me distrayant tant bien que mal du spectacle des caisses d'arbustes que l'on rentrait avant la mauvaise saison, je reconnus soudain dans le petit groupe occupé à observer les manœuvres savantes des chars à orangers un charmant visage. C'était Francette, la jeune servante qui avait adouci mes premiers jours à Versailles, et nous avait quittés sans qu'on m'en donnât de raisons. Ravi de la retrouver, je lançai bien vite une conversation galante, à laquelle la jeune femme ne répondit que timidement. Je crus que cette réserve lui était inspirée par l'espèce d'importance que j'avais acquise à la Cour, et que c'était la richesse de ma tenue qui l'impressionnait d'abord. Mais à mesure qu'elle se livrait, je compris que son attitude était celle, en fait, que s'imposent généralement les femmes mariées, ce qu'elle me confirma.

— J'ai maintenant un bon époux, me dit-elle en me désignant du menton l'un des vigoureux jardiniers affairés à hisser une caisse. Il s'appelle Lucas et m'a donné deux beaux enfants.

Je fis mine de me réjouir de son bonheur, quand il me donnait la nausée. Puis, sans m'attarder davantage, je quittai l'Orangerie pour m'en aller courir, comme un perdu, dans les allées méridionales qui menaient alors, par une pièce d'eau puante aujourd'hui assainie, du côté de la Ménagerie. Je voulais voir l'éléphant. Il me semblait que lui seul pouvait comprendre mon désespoir et en partager l'amertume. Après avoir franchi la grille, tout haletant, les lieux étant déserts, hormis le garde de faction, je me dirigeai droit vers l'enclos de mon compatriote ; il était là, placide, imposant, se balançant doucement d'une patte sur l'autre. Je cherchai autour de moi quelque friandise à lui offrir, mais ne trouvai que des herbes qu'il chipota un moment, avant de s'en désintéresser tout à fait. Chose singulière, tandis que je lui parlais, tristement, de tous ces gens heureux qui, autour de moi, ne s'occupaient que de mariage, il se mit à se détourner très ostensiblement, et d'une manière qui, chez tout être humain, aurait passé pour insolente.

— Ecoute-moi ! criai-je, excédé. Ecoute-moi, tu es le seul à qui je puisse parler...

Et comme l'animal persistait à ne fixer que la muraille, je descendis dans son enclos pour l'obliger à me regarder. Cette intrusion sembla lui déplaire. Je le sentis souffler au-dessus de moi, je le vis agiter les oreilles et, au moment où j'allais empoigner sa trompe, il fit soudain volte-face et, me balayant d'un coup violent de cet appendice, m'envoya heurter le muret avec tant de force que je perdis connaissance.

Quand, un moment plus tard, je revins à moi, j'étais allongé sur un lit de repos, au rez-de-chaussée du pavillon, et plusieurs personnes s'affairaient à mon secours. Une douleur insupportable me traversait la poitrine par intermittence, au point que je manquais chaque fois de m'évanouir de plus belle. Lorsque le médecin eut compté mes côtes brisées, installé mon bandage et autorisé mon transport par brancard, je vis entrer, l'air inquiet, notre intendant. Madame, ce jour-là, était à Choisy avec le Roi, et c'est Morin que l'on avait averti de l'accident. Il échangea quelques mots avec les personnes qui se trouvaient là et, sans même prendre la peine de m'adresser la parole, ordonna que l'on me conduisît tout de suite en ville, dans la demeure que Madame avait fait édifier, avenue de Paris, à son usage privé.

J'avais plusieurs fois accompagné ma maîtresse jusqu'à l'hôtel Du Barry, lors des visites qu'elle y avait faites pour constater l'état d'avancement des travaux. Tout de suite, les lieux m'avaient déplu, moins par ce qu'ils montraient, d'ailleurs, que par ce qu'ils signifiaient. Au fond, Madame n'avait fait construire ce bâtiment que pour y loger une partie de son personnel ; c'était tout à la fois son garde-meuble et son repli probable ; un endroit secondaire au mieux et, au pire, maudit. Sitôt franchi le porche, j'y avais perçu de moi-même ce sentiment de mort et d'oubli qui s'attache aux lieux conçus d'emblée pour ceux que la faveur a désertés.

C'est pourtant là que je devais passer les très longues semaines nécessaires à mon rétablissement. Chaque matin la femme du concierge veillait à ma nourriture et aux soins qu'elle devait me prodiguer. Les heures avant midi passaient lentement, agrémentées parfois, quand je pus me lever, par l'inspection des travaux de décoration qui se faisaient encore dans les intérieurs. L'après-dînée, le père Bruneau me rendait visite ; nous avions repris nos leçons, plus pour m'occuper que pour m'instruire davantage. Je n'en lisais pas moins de nombreux ouvrages que le bon père prenait la peine de soustraire au supplément de bibliothèque de ma maîtresse, et où figuraient de bons auteurs : Montesquieu, Rousseau et Diderot, notamment, dont la pensée m'enthousiasmait et me donnait de nouvelles raisons d'espérer dans l'avenir.

C'est vers le soir, seulement, que me revenaient les pires angoisses. J'avais imaginé que Madame, une fois rentrée du « voyage » annuel de la Cour à Fontainebleau, n'aurait rien eu de plus pressé que de me venir rendre visite. Elle avait pris, naturellement, de mes nouvelles par les personnes qui me voyaient au quotidien, et m'avait fait remettre, par mon précepteur, un petit mot d'encouragement bien sensible. Mais je ne pouvais croire qu'elle se refuserait de parcourir les quelques toises entre le Château et son hôtel ; et ce, d'autant moins qu'elle ne devait pas manquer de passer devant plusieurs fois par semaine. Le soir, je tendais donc l'oreille au moindre bruit d'attelage sur l'avenue, devant la maison. Et lorsque, de temps à autre, une voiture pénétrait dans la cour, mon cœur se serrait à l'idée de voir ma chère maîtresse entrer enfin dans ma chambre. Hélas, chaque fois ma déception était grande lorsque je comprenais que c'étaient tantôt l'architecte, tantôt l'intendant qui venaient ainsi troubler notre paix – mais jamais Madame. En dépit que j'en aie, la vérité m'oblige à reconnaître que, pas une seule fois au cours des vingt semaines que dura ma trop longue convalescence, pas une seule fois elle ne vint pencher à mon chevet sa tête de fée bienfaitrice et apaisante. Au point que cet exil prenait peu à peu, à mesure que le temps passait, toutes les apparences d'une disgrâce.

Certes, m'étant tôt remis sur pied, j'aurais pu sans peine tromper la surveillance des concierges qui me veillaient, et parcourir en fraude le chemin jusqu'au Château. Mais outre l'incertitude qui planait sur l'accueil qu'on m'y eût réservé – à supposer que Madame fût bien présente ce jour-là –, j'avais trop de fierté moi-même pour m'abaisser à quémander ainsi une affection qui m'était si durement refusée. Aussi ne fis-je aucun effort pour tenter de franchir des murs qui me protégeaient bien plus des poisons du monde qu'ils ne m'en interdisaient les délices.

La seule personne de cœur à me visiter souvent dans mon exil fut l'une des lingères de Madame dénommée Henriette, à laquelle je n'avais jamais attaché d'importance. C'était une femme consciencieuse et discrète, assez jolie sans doute, mais dépourvue des charmes qui d'ordinaire rendent visible la beauté. Un accès de compassion pour mes malheurs l'avait soudainement rendue plus sensible à mon sort. Passé les premiers embarras, ses visites se firent bientôt plus longues et plus rapprochées ; elles étaient l'occasion de m'apporter toutes sortes de douceurs et de compensations. Cette bonne Henriette, que mes treize ans et ma grande taille semblaient avoir enhardie, se risqua même, avec le temps, à des caresses moins maternelles et plus libertines ; elle y risqua les lèvres, puis la langue ; si bien que, de rendez-vous galants en étreintes dérobées, elle devint plus ou moins ma maîtresse ! Je ne puis dire pour autant que sa chair me parût jamais affriolante ; à un âge déjà mûr Henriette joignait les disgrâces d'une nature bien trop discrète... Cependant elle était assez effacée pour me permettre d'imaginer d'autres bras que les siens derrière ses caresses ; assez généreuse pour me laisser me griser de ma propre sensualité. De sorte que je pus, après quelques semaines d'un régime fort inégal au demeurant, sans prétendre au titre flatteur d'amant, du moins ne plus mériter celui, si dur à porter, de puceau.

Mon retour parmi les vivants fut honorablement fêté et l'on sut me témoigner assez de gentillesse pour ne pas donner prise au dépit. Madame, quand je la revis, était tout occupée d'un petit meuble merveilleux, que venait de lui livrer Monsieur Carlin, son ébéniste. C'était une petite table volante dont le piétement recouvert d'un vernis Martin blanc supportait un plateau dans lequel on avait incrusté une fine plaque de porcelaine de Sèvres du même blanc et parsemée de myosotis. Ses amies s'extasiaient sans mesure de la finesse de l'ouvrage, et semblaient compenser par le bruit qu'elles faisaient le peu d'attention qu'elles portaient au fond à ce chef-d'œuvre. La Comtesse, moins prodigue de ses compliments, paraissait en revanche tout éblouie de ce qu'elle voyait, et profondément émue du concours des talents qu'elle savait y reconnaître.

Néanmoins, de si loin qu'elle m'aperçut, elle marqua de l'intérêt pour ma personne et, me tendant son bras bien avant que je fusse à portée, voulut m'indiquer quelle attitude je me devais d'adopter. Je m'inclinai respectueusement pour baiser cette main accueillante et témoignai bien vite à ma protectrice, du bonheur que j'avais à la revoir sans qu'aucune amertume perceptible ne vînt teinter mes propos.

— Mon Zamor, répondit-elle de cette voix et sur ce ton qu'on ne se lassait point d'entendre ; mon Zamor, quelle jolie surprise !

Il semblait que ma longue absence eût gommé les ombres qui avaient pesé sur nos relations dans les derniers temps, pour nous permettre de renouer avec une amitié plus digne de nos souvenirs mutuels. Pour autant, cet état de grâce ne dura guère. Passé le premier mouvement, Madame se rappela bien vite les motifs qu'elle avait eu de se méfier de son chevalier servant ; et elle se hâta de remettre entre nous cette distance qui me la rendait plus chère encore. Sans la complaisance de quelques intimes, dont Mademoiselle Chon n'était pas la dernière, je crois bien que je me serais de nouveau trouvé ravalé au rang des utilités muettes.

Je ne sais jusqu'où nous aurait conduits, d'ailleurs, cet insidieux éloignement, sans les événements qui, du jour au lendemain, vinrent y mettre un terme brutal. Comme il arrivait souvent aux beaux jours, Madame était allée passer une partie de la semaine avec le Roi, dans ce Petit Trianon qu'il avait fait bâtir, jadis, pour la Marquise, et dont la Comtesse avait su faire son royaume. Comme d'habitude, je n'étais pas de ces brefs séjours ; et c'est du Château que je sentis monter la grande tempête.

Ce matin-là, j'étais encore au lit quand se répandirent, tout autour de mon entresol, ce bruit de pas saccadés, ce choc des talons sur les parquets cirés qui, à Versailles, traduisaient la plus vive agitation. Je ne fus pas long à apprendre que le Roi, tombé malade à Trianon, avait reçu là-bas la visite de Monsieur de La Martinière, son premier chirurgien, et que cet homme de poigne n'avait pas hésité à le jeter, en robe de chambre, dans une voiture qui devait le ramener à bride abattue au Château. Cela voulait dire que l'affection présentait un caractère de gravité et l'on peut imaginer sans peine l'émotion suscitée dans toute la Cour par une nouvelle si fracassante. Tandis que je finissais de m'habiller, j'aperçus, par l'une des fenêtres de notre cabinet d'angle, la voiture de Madame, que l'on avait rangée près du passage vers la terrasse du Nord. Félicité qui, depuis mon retour, ne savait trop sur quel pied danser avec moi, trouva la force de m'annoncer que le Roi avait pu regagner sa chambre, et que la Comtesse était en ce moment même à son chevet.

Quelque temps plus tard, comme elle remontait au second, entourée d'une nuée de personnes alarmées, je trouvai à Madame l'air le plus noble et le plus détaché qui se puisse imaginer : peu avare de ce sourire dont toute l'Europe vantait la grâce, elle allait jusqu'à réconforter certaines amies trop vite effondrées ; et quand elle atteignit enfin sa chambre, on eût vraiment dit la reine de France qui entrait. Cependant elle ne tarda guère à donner congé à sa petite cour, et les pleureuses vidèrent l'appartement sans trop se faire prier. Sitôt que les portes se furent refermées sur elles, je vis Madame s'effondrer d'un coup et se laisser aller à la plus déchirante des plaintes. Même les femmes du service intérieur, désarçonnées par une si vive douleur, s'interrogeaient du regard et préféraient s'éclipser ; de sorte qu'en peu de temps je me retrouvai seul en tête à tête avec ma pauvre maîtresse.

Tout en pleurant à gros sanglots, elle me tendit le bras pour que je la soutienne, et pendant que je lui passais tendrement mon mouchoir brodé sur ses joues ruisselantes de larmes, elle se mit à me caresser les cheveux. Bouleversé d'une intimité si promptement retrouvée, je ne savais si je devais plutôt m'inquiéter des malheurs que nous promettait la maladie du Roi, ou me réjouir du rapprochement béni qu'elle pouvait me laisser espérer.

Cette scène bien touchante dura tout un moment, pendant lequel nos larmes se mêlèrent plus d'une fois. A la fin, quand Madame, épuisée, demanda qu'on lui retirât son corset, c'est à contrecœur que je quittai sa chambre pour me réfugier dans la mienne afin d'y jouir à loisir de mes émotions. Baisant le mouchoir que j'avais conservé dans ma manche, et qui se trouvait tout imprégné de ses larmes, je le passai et le repassai voluptueusement sur mon cœur qui battait si fort que c'en était presque douloureux. J'aurais voulu que se prolongeât longtemps la confusion des sentiments qu'avaient fait naître des circonstances si particulières ; et sans la crainte d'offenser Dieu, je l'aurais volontiers enjoint, dans mes prières, de faire encore souffrir le Roi, pour me donner des occasions nouvelles de réconforter tendrement sa maîtresse et la mienne.

Dans les jours qui suivirent, tout l'appartement de Madame vécut au rythme des informations, bonnes ou mauvaises, qui nous remontaient du premier étage. Tantôt on affirmait que Sa Majesté avait reçu les derniers sacrements, et qu'il ne fallait rien espérer de sa santé, tantôt on rapportait les propos rassurants d'un médecin complaisant ou excessivement optimiste. Ce fut le vendredi que la nouvelle finit par éclater, faisant absolument l'effet d'une bombe : la petite vérole s'était déclarée et le Roi, à son âge, ne pouvait guère espérer de rémission. On eût annoncé une attaque en règle de nos alliés autrichiens sur les frontières de l'Est que l'affolement public n'eût pas été plus grand.

Je descendis moi-même à l'Appartement, afin de juger de l'état de la Cour. Une foule immense se pressait dans la Grande Galerie, où tout ce que l'on pouvait compter d'officiers – qu'ils fussent ou non de quartier – se trouvaient pour commenter les événements. La porte du cabinet du Conseil était de loin la plus surveillée, bien que les familiers eussent emprunté, pour accéder au seuil de la petite chambre du Roi, soit les intérieurs, soit l'antichambre du Couvert. Les bruits les plus insensés couraient sur le sort de Madame ; on disait « elle », sans la nommer, puisque aussi bien elle faisait le gros de la plupart des conversations. Bien que sa présence au chevet du Roi, des heures entières, fût largement connue et commentée, il ne manquait pas de personnes renseignées pour prétendre qu'« elle » avait déjà pris le large pour se réfugier dans son domaine de Luciennes.

La grande question, celle qui agitait tout le monde, était de savoir si le Roi devait se confesser dès à présent, et si l'amende honorable qui s'ensuivrait forcément exigerait un renvoi immédiat de la favorite. Les exemples opposés de Mme de Châteauroux, en 1744, lors de la maladie du Roi à Metz, et de Mme de Pompadour, en 1757, lors de l'attentat de Damiens, alimentaient le débat sur cette grave alternative – qui, au demeurant, l'était assez pour nous. Je ne puis dire que je gagnai à ce tour d'inspection une haute idée de mes contemporains ; du moins cela ne changeait guère mon opinion sur la Cour, ni ma philosophie sur les bassesses du genre humain en général.

Les jours qui suivirent furent difficiles à vivre. Plus le temps passait, et plus Madame remontait de chez le Roi tout empreinte d'une odeur putride, qui n'allait pas sans me rappeler celle, pourtant lointaine, du navire qui m'avait ramené du Bengale. Cette odeur-là, que j'avais appris trop jeune à reconnaître ; c'était l'odeur de la mort.

L'annonce de la petite vérole ayant effrayé la plupart des gens, le danger contribuait à éloigner la Cour de tout ce qui touchait au Roi aussi sûrement qu'elle s'en était approchée naguère. Madame subissait une sorte de quarantaine, comme celle que j'avais connue à Bordeaux ; la peur de la contagion nous logeait tous à la même enseigne, et comme l'on me savait le chevalier servant de la Comtesse j'étais englobé dans sa mise à l'écart. Désormais il suffisait que j'apparaisse où que ce soit pour que le vide s'y fasse aussitôt.

Cette attitude frileuse était bien éloignée du courage et de l'abnégation que montrait Madame en la circonstance, et qui firent d'ailleurs l'admiration universelle. Comme les propres filles du Roi, la Comtesse n'hésitait pas à passer, au chevet de ce dangereux malade, parfois plusieurs heures de rang au risque de contracter cent fois la maladie. Ce fut un miracle, au demeurant, que ni Madame ni les Princesses ne fussent touchées ; il faut croire que leur courage suffisait à les protéger.

Le 3 mai 1774, vers une heure du matin, alors qu'elle venait juste de s'aliter pour prendre un repos bien mérité, Madame fut dérangée par un garçon de la Chambre, envoyé en secret par Sa Majesté. En hâte, elle se fit vêtir au plus vite, coiffer rapidement, et repoudrer. Puis elle partit en courant, dans un froissement de taffetas, vers son destin. Tout le temps que dura cet entretien nocturne, nous attendîmes, bras ballants, sur le palier du degré du Roi.

Quand enfin elle remonta, Madame était livide. Il fallut que je l'aide à franchir les dernières marches ; son visage paraissait anéanti ; et avant même qu'elle eût besoin de nous le confirmer, le personnel avait déjà compris que nous devions vider les lieux. Sans une larme, Madame entra dans sa chambre, étrangement raide et légère, comme l'on imagine les fantômes, puis, tout habillée, elle s'allongea et demanda qu'on la laissât en paix un moment. Je demeurai discrètement à son chevet, avec deux ou trois autres plus particulièrement familiers auxquels, posément, elle répéta l'ordre du Roi de partir au plus vite, avant que les choses ne tournent plus mal. Soudain, alors que nous la croyions endormie et que, sur la pointe des pieds, nous commencions à quitter la ruelle, notre pauvre Comtesse éclata en sanglots terribles, incontrôlables, qui la secouaient tout entière. Hoquetant de douleur, elle étreignait sous nos regards consternés l'un de ses oreillers de fine batiste comme si plus rien désormais ne la pouvait protéger. N'y tenant plus, je courus à elle, la pris dans mes bras, détachai tout doucement ses doigts de la dentelle et la serrai contre ma poitrine avec des années de tendresse réprimée sans qu'elle paraisse songer à résister. Cependant, j'étais trop bouleversé moi-même pour goûter pleinement un moment que je n'avais cessé d'espérer et dont je ne pus profiter à loisir.

Pendant la nuit, je rassemblai de mon mieux tout ce qui, me semblait-il, avait le plus d'importance. Il y avait là des souvenirs bien poignants, comme la croix du capitaine, la miniature du Maréchal, le premier mouchoir brodé que m'avait donné Madame, et même, à demi froissé, un menu que j'avais sauvé du grand souper de Luciennes... Serré dans un balluchon avec ceux des habits que je préférais – et notamment un justaucorps vert émeraude dont tout le monde trouvait qu'il me seyait à ravir – je descendis ce modeste trésor aux premières heures, pour être certain qu'on ne l'abandonnerait pas à Versailles. Mademoiselle Chon qui, comme la plupart des personnes proches de Madame, n'avait pas fermé l'œil de la nuit, surprit mon petit manège et trouva la force de s'en moquer gentiment. Elle m'expliqua que les affaires de Madame et de toute sa maison nous seraient apportées très vite par des empaqueteurs qui allaient se charger de tout et que, par conséquent, je n'avais guère à me préoccuper que de ma tenue du jour et de celle du lendemain. Tant par respect pour le Roi mourant que par souci de ne point trop me distinguer dans cette occasion, je choisis l'une de mes tenues les plus simples, de serge écrue, sans quitter pour autant mon bagage.

Madame, contre tout attente, se montra moins raisonnable. Cédant tout à coup à quelque peur panique, elle refusa tout bonnement de se défaire d'un certain nombre de souvenirs qui, depuis des années, s'accumulaient dans ses appartements. Et sur l'observation qu'on lui fit de la nécessité de laisser la place au plus vite, elle s'irrita comme jamais contre les méchants qui, dans tout cela, ne voulaient, disait-elle, que sa déchéance. La scène fit assez de bruit pour qu'un messager du premier gentilhomme montât demander qu'on parle plus bas, étant donné les circonstances... Madame prit cette dernière remarque comme on reçoit le coup de grâce ; elle se laissa glisser par la suite dans une sorte d'état second duquel rien ne paraissait devoir la soustraire.

Ce fut Madame la duchesse d'Aiguillon, que la mort annoncée du Roi promettait elle aussi à la plus sûre disgrâce, qui monta retrouver Madame et sut, à voix basse, la persuader de l'accompagner. Ma maîtresse jeta sur ses épaules un long manteau dont la capuche dissimulait son visage et la suivit. En descendant par le degré, elles marquèrent toutes deux un temps d'arrêt devant la porte de l'appartement du Roi. Madame, les yeux pleins d'eau, tremblait si fort que la Duchesse lui proposa son bras pour la soutenir, et nous rejoignîmes ainsi le Duc dans sa voiture, pour quitter les cours par la grille de la Chapelle. Une file interminable de carrosses encombrait déjà à main droite l'entrée principale, apportant en sens inverse un flot de courtisans qui, sans doute, ne voulaient pas se montrer les derniers à saluer les nouveaux souverains...

Nous avions pris la route de la propriété des Aiguillon, à Rueil. Il faisait très beau ; partout les jeunes pousses, les oiseaux, le linge mis à sécher dans les champs donnaient au paysage des accents printaniers. Observant tour à tour le chagrin de ma maîtresse et la route ensoleillée, je sentais mon cœur balancer entre une compassion naturelle et le bonheur d'avoir reconquis, pensais-je, le cœur de celle que j'aimais... L'heure était à la peine, mais c'était une peine bien douce ; et tandis que le carrosse nous entraînait vers l'exil, je ne pouvais me défendre, tout au fond de moi, d'un étrange, d'un douloureux, d'un violent sentiment de bien-être.

8

L'arrachement

A Rueil, les émois trépidants des derniers jours avaient fait place à des angoisses plus sourdes. La grande demeure du duc et de la duchesse d'Aiguillon vivait au rythme des messagers de Versailles ; tout le monde y suivait de loin l'agonie royale, avec la fébrilité d'un état-major guettant les nouvelles du front. Je me souviens qu'en vue de distraire ma maîtresse, et pour me donner à moi-même un peu de mouvement, j'avais pris sur moi de lui apporter, en dépit de la chaleur de sa chambre, un chocolat crémeux et fumant. J'avais disposé la tasse sur un petit plateau de vermeil et pris le soin d'accompagner ce breuvage de sablés dont je savais Madame assez friande. Rien n'y fit. Elle ne se donna pas même la peine de paraître charmée, et renvoya le tout d'un mot sec. Le cœur lourd, je songeai que nos tendres moments de complicité, à supposer qu'ils fussent jamais partagés, n'avaient que peu duré.

Quoique repoussé de la plus désagréable des façons, je n'avais guère la ressource d'aller pleurer chez moi, pour la bonne raison qu'à Rueil j'étais fort mal logé. La Duchesse n'avait pas fait de différence en ma faveur ; aussi piètrement installé que tout le personnel de Madame, j'occupais sous les combles une mansarde étroite, méchamment meublée d'un grabat, dans un coin de laquelle je n'avais trouvé que la place de consacrer un petit autel à ma chère maîtresse.

Y figuraient, je crois, son portrait en gravure, la miniature de Papa-Maréchal, quelques colifichets et le précieux mouchoir de dentelle, celui de notre première rencontre... L'on peut juger à tout ce tableau s'il y avait matière à s'amuser !

Néanmoins, après deux jours d'une attente interminable, notre ciel parut s'éclaircir. Dès le matin, le courrier de Versailles avait à peine apporté sa petite liasse de nouvelles que subitement la demeure s'anima. Des bruits de roues se firent entendre sur les pavés de la côte, et l'on vit entrer dans la cour plusieurs carrosses armoriés : le Roi allait mieux, les courtisans revenaient vers la favorite. Pas tous, certes, mais du moins ceux qu'une proximité trop évidente avec la Comtesse eussent mis dans une position fâcheuse, dans le cas désormais possible de son retour. Le malheur de ces gens voulut que la plus élémentaire discrétion leur manquât... Ainsi, ceux que l'on n'appellerait bientôt plus, à la Cour, que les « carrosses de Rueil » allaient-ils se trouver bien vite mis à l'index par Marie-Antoinette, et dûment disgraciés !

Pour l'heure, ce bref regain de faveur présentait du moins l'avantage d'égayer un peu notre quotidien. En quelques heures, tout sembla renaître de la splendeur de la veille ; Madame se fit parer plus brillamment que pour une fête et mit un point d'honneur à me voir accueillir, en livrée, la horde des visiteurs empressés.

— Ma chère, dit un vieux duc dont je veux taire le nom, vous êtes encore embellie !

A quoi la favorite répondit que la beauté n'était point de mise dans les moments sombres que l'on traversait. Cependant elle semblait revenue elle-même du royaume des ombres, et prête à reprendre, sur le même pied, tout son train versaillais. Déjà l'on se grisait à mots couverts ; et de fait, dans toute la maison régnait à nouveau une agitation prometteuse. L'afflux imprévu des équipages avait d'ailleurs pris de court les fourriers du Duc ; le foin ne tarda pas à manquer à Rueil, avec tout ce qui peut être utile à une telle réunion ; et l'on dut envoyer chercher chez des voisins, ce qui faisait défaut pour soutenir pareil siège.

Hélas, ces heures fastes n'eurent aucun lendemain. Sitôt que le bulletin rechuta – ce qui arriva le soir même – on vit de nouveau s'égailler, comme une volée de moineaux, ces visiteurs d'un jour à l'amitié intéressée ; et l'on retomba bien vite dans les affres de la veille, aggravées peut-être par l'entrain forcené que Madame opposait désormais à l'évidence. A tout prendre, je l'eusse mieux aimée triste, abattue, découragée, que joyeuse de cette fausse manière.

Si les cours de la maison s'étaient vidées, les grilles, en revanche, se couvraient à présent de villageois avides de nouvelles. On eût dit des corbeaux tant ils croassaient. Ce n'était pas que la populace fût moins au fait de la santé du Roi ; à la vérité elle en était mieux avertie que nous-mêmes, encombrés que nous étions d'avis contraires et par trop nuancés, mais ils voulaient voir Madame qui, la toute première, se raccrochait à des vétilles. On lui eût fait croire pour un peu que le Roi s'allait relever dans l'heure ; et celles des femmes de chambre qui, excédées de son aveuglement, se risquaient à la rappeler aux faits, se faisaient durement rabrouer.

A mesure cependant qu'approchait la fatale échéance, je voyais, à la chapelle privée des Aiguillon, se multiplier les messes d'implorations et d'actions de grâces ; le dimanche, les nouvelles de Versailles se révélèrent si désastreuses qu'on admit les gens de Rueil à venir se mêler à nos prières, dans l'espoir, peut-être, qu'un plus grand concours de piété contribuerait à faire advenir un miracle. Pour moi, je désapprouvais fort cet afflux d'étrangers dans l'enceinte du château, me méfiant instinctivement de ces villageois sournois qui, considérant ma peau noire et mes traits singuliers, affectaient de me rejeter.

A l'évidence, le climat se détériorait au sein même de la maisonnée. Nos forces s'usaient dans cette attente interminable, dont personne ne pouvait ignorer l'issue. Même les conversations de l'office avaient fini par se tarir. Chacun de nous se nourrissait sans appétit, pour se coucher sans sommeil. Le lundi, Madame commença de donner quelques signes de dérangement. Non que son esprit battît vraiment la campagne ; cependant elle s'obstinait à vouloir accueillir comme des dons du Ciel les nouvelles les plus noires, et à se féliciter des pires échos, dont on ne l'épargnait point, il est vrai. Le médecin de Madame d'Aiguillon vint constater lui-même à quelles extrémités pouvait aller ce délire ; mais il ne s'en inquiéta pas outre mesure, estimant que le sens commun lui reviendrait subitement, quand tout serait consommé.

Le mardi 10 mai 1774 au matin, je fus réveillé par le glas. Le son s'en fit entendre de loin d'abord, puis se rapprocha, et je ne puis décrire l'effroi où ce lugubre appel me plongea. Je demeurai tout un moment sans oser quitter ma paillasse. C'est la voix de Madame qui me fit me lever ; je l'entendis hurler dans la cour, et, me précipitant vers un carreau de la coursive, je la vis dehors, en simple robe de nuit, se débattant au milieu de ses dames qui avaient fort à faire pour la retenir. La malheureuse prétendait atteler une petite voiture et courir à Versailles dans ce brillant équipage... A la fin, ses femmes parvinrent tout de même à la raisonner plus ou moins et purent la reconduire à sa chambre, où elle devait rester un long moment comme frappée de stupeur et privée de parole.

Je puis dire que je fus l'un des rares admis à son chevet. Dans la ruelle, tout le monde parlait à voix basse, comme si Madame elle-même avait été mourante. Sur les coups de dix heures, la Duchesse, en robe d'intérieur, entra pour lui confirmer que Sa Majesté avait trépassé le matin même, avant six heures. A défaut de trouver les paroles qui eussent consolé la malheureuse, du moins sut-elle, en mêlant ses larmes aux siennes, remplir ses devoirs de bonne hôtesse et annoncer qu'un service particulier serait dit le jour même, à midi. Je crois me souvenir que Madame ne lui répondit pas, mais qu'elle adressa tout de même à son amie un sourire charmant qui me rassura sur son état réel. J'étais encore bien jeune et sans expérience de ces choses ; aussi bien je me demandais comment celle que je n'avais toujours vue vivre que par le Roi et pour lui allait pouvoir survivre à ce maître tout-puissant et se passer durablement de son incomparable soutien. Quelles allaient être, pour la Comtesse, les conséquences de cette perte ? La question m'obsédait.

La réponse, au reste, ne se fit pas attendre. Le jour même, dans la fin de l'après-dînée, un écuyer cavalcadour se présenta, porteur d'un pli du jeune roi Louis XVI. Madame se leva en hâte pour le recevoir, et se fit apprêter comme elle put. Tendue, le teint pâle et les traits tirés, elle le reçut dans le cabinet qui jouxtait sa chambre. L'homme entra sans façons, s'inclina et lui remit sa lettre de cachet. Elle l'ouvrit tant bien que mal et, à mesure qu'elle la lisait, devint si pâle qu'il semblait que son sang la quittait. Quand elle eut fini, elle demeura silencieuse un bref instant, puis renvoya simplement le messager. Il n'y avait pas de réponse à faire à ce genre de courrier...

En quelques mots, le nouveau roi lui ordonnait de se rendre instamment au couvent de Pont-aux-Dames, pour y demeurer jusqu'à nouvel ordre. Madame, entre deux sanglots, le dit ensuite à tout le service qui était consterné. La dureté des nouveaux souverains dépassait tout ce que nous avions pu imaginer. Moi-même, j'avais du mal à croire à ce changement brutal. Ainsi donc, non seulement la Comtesse avait tout perdu à la disparition de son royal protecteur, mais sa déchéance n'allait pas se borner là ; il lui faudrait encore compter avec l'hostilité des nouveaux maîtres !

Un petit détachement de gardes-françaises, arrivé dans les traces de l'écuyer, vint prendre position devant l'entrée du domaine. De tous les signes de notre infortune, celui-là fut pour moi le plus impressionnant. Ces hommes qui, jusque-là, nous avaient toujours été dévoués, voilà qu'on leur confiait maintenant pour mission, non plus de nous protéger, mais de nous surveiller comme des criminels. J'eusse aimé réconforter Madame, mais la préparation de son voyage imminent ne lui laissait aucune liberté. Je commençais moi-même à serrer quelques affaires en vue du départ, quand la brave Félicité, plus maternelle que jamais, vint m'ôter des mains les effets que je venais de plier. Elle me dit que là où se rendait Madame, seules les femmes étaient admises. Ainsi partait-elle avec pour toute escorte une simple femme de chambre.

— Non ! criai-je, je veux partir avec elle !

— Mais... Zamor, ne fais point le sot !

— Je veux qu'elle m'emmène...

Ma protestation s'évanouit dans les larmes, sans que je pusse seulement dire à Félicité combien moi-même je me trouvais puéril et sans excuse. Elle me prit doucement dans ses bras et me berça comme un enfant – comme l'enfant que je n'avais cessé d'être, malgré mes treize ans accomplis. Cette étreinte m'en rappelait une autre, très lointaine et très proche à la fois. C'était le dernier baiser de ma grand-mère, à Balaçor, avant qu'elle ne me vende aux officiers français. Comme cette fois-là, je sentis mon cœur se serrer à m'en étouffer ; et comme alors, je fondis en larmes.

La nuit tombait déjà quand un officier des gardes se présenta au château, à la tête d'un petit détachement à cheval entourant un fourgon. Des hommes en armes venaient prendre livraison de la prisonnière... On m'a dit, car je ne l'ai pas vu, que Madame la duchesse d'Aiguillon protesta courageusement contre le sort rigoureux que l'on faisait injustement subir à son amie, et que Madame l'interrompit gentiment pour la prier de ne point insister. Puis, d'un pas résigné, elle se laissa conduire au-dehors, jusqu'au fourgon. J'étais moi-même sur un perron de côté, au milieu des personnes du service portant des flambeaux. Mais quand Madame nous fit un petit signe de la main avec un pauvre sourire, je sentis, autour de moi, éclater le désespoir de tous ses gens et je n'y tins plus. Je m'élançai vers elle si vite que je pus atteindre le fourgon avant que la porte n'en fût refermée. Alors je me jetai dans le giron de ma bonne fée, de ma chère fée qui prit ma tête dans ses mains et l'embrassa plusieurs fois. Tandis que je sentais ses larmes inonder mon front, quelqu'un tenta de nous séparer, mais je me débattais tant, griffant au hasard, dans le noir, que l'un des gardes finit par m'attraper par le col pour me rejeter violemment au loin, comme on le fait d'un chien enragé. Et puis la voiture se mit en branle et toute l'escorte s'ébroua dans son sillage. Je me relevai de mon mieux et courus après ma chère Comtesse qui s'éloignait dans la nuit tombante. Hélas, la voiture, prenant de la vitesse, eut tôt fait de disparaître dans un tournant, mais rien ni personne n'aurait pu m'arrêter et je continuai de courir, hors d'haleine, sur la route obscure. Je savais bien, au fond de moi, que jamais je ne rattraperais les chevaux, mais à l'idée de renoncer, de l'abandonner, je me sentais déshonoré. Fort d'un souffle vigoureux, je courus donc longtemps, si longtemps que je me perdis. C'était la situation des contes d'enfants... Avisant au loin les torches d'une charrette qui approchait, pleine d'une compagnie avinée, je demandai mon chemin à ces inconnus qui, sans prendre la peine de me répondre, me hissèrent avec eux sur la paille, et me dirent que j'allais d'abord « rendre au Vieux les honneurs dus à son rang ».

Je ne devais pas tarder à comprendre que ces pauvres hères, dans leur inconséquence, allaient vers Saint-Denis, pour y attendre le convoi funèbre du Roi. La charrette s'arrêta au croisement d'une route où se trouvait déjà du monde. On se salua gaiement, on fit des mots douteux, on chantonna. Pour moi, je sus me tenir en retrait de tant de joie. J'attendais comme eux le passage du souverain défunt que l'on avait décidé de conduire de nuit à sa dernière demeure, afin d'éviter les débordements du peuple, mais j'avais pour cela des raisons fort différentes. J'avais envie de crier à ces mauvais sujets que leur légèreté me répugnait ; j'eusse aimé leur annoncer tout haut, bien fort, que le cercueil qui allait passer contenait le corps de mon auguste père ; et j'aurais voulu détruire les mécréants qui, contrefaisant la voix rauque du Roi lorsqu'il courait le cerf, criaient comme lui « Taïaut ! Taïaut ! » pour divertir des comparses hilares... Mais j'étais petit, faible, noir et, de surcroît, ravagé par le chagrin. Alors je ne dis rien... Quant au convoi du Roi, on ne le vit jamais venir ; le lieutenant de police avait dû en changer l'itinéraire au dernier moment.

Par la force des choses, le service attitré de Madame fut, dès le lendemain, fondu dans celui des Aiguillon. Naturellement, les serviteurs qui se trouvaient depuis longtemps dans la place ne virent pas sans répugnance cette irruption dans leur vie d'une troupe étrangère. Moi-même, pour toutes les raisons que l'on peut imaginer, je me trouvais être le plus voyant de ce petit monde ; et c'est donc moi qui fis, plus que d'autres en tout cas, les frais de la mauvaise humeur générale. Dans cette maison, où le mieux que l'on me réservât était de me tourner le dos, je ne me sentais nulle part en sécurité. Sur cette mer hostile, mon unique planche de salut était mon refuge sous les toits, avec son minuscule mais prodigieux autel ; d'autant plus minuscule qu'il me fallait le cacher la journée, de peur des mauvais coups ; d'autant plus prodigieux qu'il était mon seul viatique pour atteindre, par la force du rêve, celle dont l'âme m'était plus chère que tout au monde.

Il se trouva cependant que dans mon malheur j'eus la chance d'avoir été remarqué de la duchesse d'Aiguillon. Très entichée des choses de l'Orient, cette dame avait souvent envié ma maîtresse de posséder en moi un petit Indien de l'espèce la plus savante et la mieux policée ; et sans la crainte de passer pour plagiaire, elle aurait elle-même sacrifié depuis longtemps à la même mode... Seule la décence la retenait pour l'heure de s'approprier trop tôt ce dont on venait de déposséder son amie ; et je sentais, aux attentions prudentes qu'elle me réservait, que je n'allais pas tarder à reprendre auprès d'elle le rôle que j'avais tenu naguère chez Madame du Barry. De fait, à la première occasion, Monsieur d'Aiguillon me fit ordonner de servir son épouse exactement comme j'avais servi la Comtesse – n'était ma parure, qu'on exigeait plus simple, par goût personnel peut-être, et certainement par volonté de ne point trop prêter au qu'en-dira-t-on.

Je pris donc ponctuellement mon service auprès de la Duchesse, lui présentant son verre à table, tenant son petit parasol à la promenade, portant à l'église sa traîne ou son manteau. Sans posséder aucune des grâces de ma véritable maîtresse, Madame d'Aiguillon partageait du moins son caractère avenant et sensible ; de sorte que mon office s'en trouvait facilité. Que j'en fusse ou non conscient sur le fait, il est certain que cela m'arrachait autant à l'ennui qu'à une condition plus servile encore. Le seul inconvénient que j'en tirai se résumait à l'hostilité dont le reste du personnel se mit dès lors à me gratifier. Sans prendre en effet la place de quiconque, je rognais un peu sur les prérogatives de tout le monde – à commencer par celles du maître d'hôtel ordinaire, un dénommé Legendre, qui m'en voulait affreusement.

Toutes les vilenies étaient bonnes à cet escogriffe pour me faire sentir le mépris où il tenait les gens de ma race. Sa maîtresse n'avait pas plus tôt tourné les talons qu'il me réservait quelque tâche ingrate, comme de cirer les bottes au retour de la chasse ou de faire briller les cuivres des cuisines... Il ne m'appelait que « le nègre », et s'arrangeait constamment pour me faire manquer aux obligations de mon service et remédier d'autant mieux à mes insuffisances, du moins le croyais-je. Enfin, si la froideur régnait entre le personnel des Aiguillon et celui de Madame, nulle part la haine ne s'exprimait aussi crûment qu'entre Legendre et moi.

Après quelques semaines d'avanies auxquelles j'avais fini par m'habituer – comme de devoir me lever de table, devant tout le service, pour aller chercher ma serviette demeurée seule au casier –, Legendre se mit en peine de me causer des soucis plus graves. Il procéda selon son caractère : de la manière la plus retorse. Le maître d'hôtel connaissait assez bien la maison pour que rien n'échappât à sa vigilance ; aussi avait-il décelé, dans ma chambre, l'existence du petit conservatoire que j'avais dédié à la Comtesse. Loin de me dénoncer tout de suite à ses maîtres, il profita malignement de ma faiblesse et sut transformer ce petit faux pas en un forfait beaucoup plus grave. Dérobant lui-même, dans les affaires de sa maîtresse, une aigue-marine que Madame avait jadis offerte à son amie, il la remisa secrètement par-devers lui. Puis il attendit que la Duchesse elle-même remarquât le larcin, ce qui ne vint qu'après plusieurs jours sans doute. Legendre procéda dès lors à la fouille en règle de nos affaires et feignit de trouver miraculeusement, au milieu de mon modeste trésor, la pierre qui paraissait signer mon crime.

Je puis dire que la fureur du maître de maison ne fut pas moins violente que ma propre stupeur. J'eus beau protester hautement de mon innocence, personne ne voulut rien entendre ; la découverte de mon petit autel paraissait, il est vrai, m'accuser doublement... Legendre fut remercié de son bon travail ; quant à moi, l'on me fit savoir que je méritais le chanvre mais que, par égard pour ma maîtresse et considération pour mon jeune âge, j'en serais quitte pour le cuir. C'est le maître d'hôtel lui-même qui régla ma punition : il me fit suspendre à une poutre des communs et lacérer le corps à coups de cravache par deux cochers. Je perdis rapidement connaissance. Je fus alors décroché, ranimé, puis renvoyé encore sanguinolent devant la Duchesse, pour la supplier à genoux de cacher à ma maîtresse la gravité de mon crime.

La pire des tortures aurait été, pour moi, qu'on me discréditât aux yeux de ma chère Comtesse. Rien ne pouvait justifier tant de cruauté. Il m'était assez pénible, déjà, de la savoir loin de moi et moins inquiète de mon sort que je n'eusse été en droit de l'espérer. Quelque temps avant le sinistre épisode de l'aigue-marine, j'avais en effet reconnu, dans une pile de lettres attendant sur un plateau, un pli portant l'écriture de Madame. Profitant de ce qu'il était décacheté, je m'étais hasardé à lire cette missive, le cœur battant ; j'en avais parcourus d'abord les lignes en toute hâte, puis j'y étais plusieurs fois revenu, avant de tout relire de bout en bout, à mi-voix. Cruelle déception : entre des nouvelles plutôt rassurantes et des questions assez anodines, il n'y avait nulle place pour le « colibri des îles »... Madame demandait des nouvelles de ses femmes de chambre, de son perroquet et de ses petites chiennes, mais elle ne prenait pas même la peine de s'inquiéter de ce qu'il advenait de son « moricaud » préféré ! Cela me contraria si fort, et me causa une révolution telle dans les humeurs, que je choisis de passer outre, à tout prendre, et tentai d'oublier ce courrier négligent. Je me disais que j'étais tombé sur une mauvaise lettre et que d'autres, y compris parmi les dernières, étaient remplies de questions anxieuses sur ma santé et sur la vie que je menais...

En dépit de tout, le Duc avait consenti à me garder dans sa maison, mais comme simple garçon d'écurie. Aussi la vie que l'on me fit mener, dans les semaines et les mois qui suivirent la flagellation, me ramenait-elle loin en arrière, au temps de ma traversée depuis les Indes et des scènes d'esclavage dont j'avais alors été le témoin. A cela près que cette fois, j'étais moi-même dans la peau de la victime asservie. Je dormais dans une stalle, à même la paille. Levé bien avant l'aube, je devais m'épuiser à panser les chevaux, puis m'activer, le jour durant et parfois jusque fort tard, à des travaux de force qui convenaient mal à ma constitution plutôt frêle. A la fin, l'on s'avisa que ce régime risquait tout simplement de me tuer, et je me retrouvai affecté à la lingerie, avec des tâches et des rythmes plus supportables. Je n'en restai pas moins très malheureux et, surtout, très seul.

L'unique personne qui, dans mon entourage quotidien, prêtait une oreille charitable à mes déboires, était une petite lingère qui, comme ma belle fée, répondait au doux nom de Jeanne. Elle était assez petite et menue pour paraître encore une enfant, quoiqu'elle eût seize ans bien révolus ; ses cheveux bruns coiffés en chignon, son sarrau à bretelle, ses petits souliers lacés, tout témoignait en elle d'une méticulosité rêvée dans son emploi. Son sourire était ce qui, chez cette autre Jeanne, me rappelait le moins la première : il était aussi discret, pudique, hésitant, que celui de ma maîtresse pouvait se montrer triomphant. Mais justement, sa différence même me la rendait encore plus précieuse. Je n'aimais rien tant que croiser son chemin près des étendoirs, et la voir s'effacer presque malgré elle pour me laisser passer, comme si j'avais été son maître. Cette fille était de la race des petits animaux des bois que l'on n'approche qu'à force d'habitude et de douceur. Or, je puis dire qu'avec bien de la patience j'avais fini par apprivoiser Jeanne ; du moins le croyais-je.

Je pensais même avoir suffisamment gagné sa confiance pour m'autoriser de petites privautés, comme de lui tirer ses rubans gentiment, à la barbe de la gouvernante. Et sa façon de rougir, dans ces moments, sans parler des regards coquins qu'elle me décochait alors me paraissaient l'indication certaine d'un penchant qu'elle devait secrètement nourrir à mon endroit. Las, j'étais sans doute allé un peu loin dans mes conclusions... Un matin que, mû par quelque impérieux désir, je faisais mes caresses plus pressantes et mes indiscrétions plus hardies, la petite Jeanneton prit peur et, s'esquivant soudain, voulut crier à l'aide. Je l'en empêchai comme je pus et crus ne pouvoir mieux faire que de lui fermer de force la bouche avec une main, tandis que je tentais, de l'autre, de l'immobiliser. Un laquais qui passait par là surprit notre manège ; sans chercher à comprendre ce qui se passait, l'imbécile se jeta sur nous, libéra Jeanne de mon étreinte et se mit en devoir de me terrasser. Un attroupement se fit, la petite courut se réfugier dans les jupes de sa mère ; quant à moi, je me retrouvai de nouveau la victime d'un malentendu choquant, fortuit celui-là, mais pas moins grave dans ses conséquences que la machination précédente.

Grâce à la probité de la petite lingère, qui prit aussitôt ma défense, j'échappai cette fois aux châtiments corporels. L'intendant voulut bien m'accorder le bénéfice du doute, et réduisit la sanction à mon renvoi aux écuries, en tant que simple valet. Sur le coup, je crus donc m'en tirer à bon compte. Mais à la vérité, j'eusse mille fois préféré le fouet à cette sorte de méfiance haineuse que je me mis à lire, désormais, dans les yeux de mes pairs. Il semblait que la condamnation que l'on ne m'avait pas infligée dans les faits, dût imprégner au fond les consciences, et transparaître dans les regards que l'on me portait. Ma santé s'en ressentit, ainsi que ma volonté de vivre. Si j'avais su comment procéder, je crois bien qu'alors je me serais laissé mourir.

Près d'un an avait passé, depuis ce soir terrible où les gardes du Roi étaient venus m'arracher celle que j'aimais. Et pendant tout ce temps, j'avais entendu évoquer cette abbaye lointaine de Pont-aux-Dames, où devait battre le cœur de ma belle fée. Chaque jour, je tentais d'imaginer comment elle y vivait, ce qu'elle pouvait y faire, et quelles personnes elle y voyait. Je croyais deviner que Monsieur et Madame d'Aiguillon lui avaient rendu visite dans ce couvent ; mais je n'avais aucun moyen d'en obtenir confirmation – surtout depuis qu'un prétendu crime m'avait relégué, à leurs yeux, dans la lie du genre humain.

Pourtant un matin, Legendre, qui s'était radouci et cherchait même, de son mieux, à me rendre la vie plus facile, vint me trouver à l'écurie. Sans me donner d'explications, il me conduisit à la buanderie, pour que l'on m'y lave, puis à mon ancienne chambre, sous les toits. Je dus endosser des habits de parade devenus un peu justes aux entournures, et fus littéralement jeté dans une voiture avant que l'on m'ait seulement dit à quelle sauce j'allais être mangé. Notre fiacre suivait la berline du Duc et de la Duchesse, et bien que n'osant encore y croire, je me mis à espérer que la Comtesse serait au bout de notre route.

A deux lieues de l'arrivée, le duc d'Aiguillon s'avisa qu'il m'avait peut-être maltraité depuis un an ; et il me fit monter auprès de lui dans sa voiture. C'est donc en renouant avec mes vieilles habitudes de confort et de privautés que je fis mon entrée dans le domaine de Saint-Vrain. Car notre destination n'était pas un couvent, mais un château. Autorisée à quitter Pont-aux-Dames, ma maîtresse avait acheté, près d'Arpajon, cette jolie propriété agrémentée d'une belle bâtisse en brique construite sous Louis XIII.

Nous n'avions pas franchi les grilles que déjà je me penchais à la fenêtre, au risque de tomber. Du plus loin que je l'aperçus, je sentis mon cœur se décrocher de ma poitrine. Elle était vêtue à la mode champêtre, tout en blanc avec un grand chapeau de paille sur lequel était attaché un petit bouquet de jasmin. Elle fit un gentil signe que je pris pour moi et qui dans un seul et même élan me fit ouvrir la portière, sauter en marche et me précipiter dans ses bras. Loin de paraître surprise, ma belle fée répondit amoureusement à mon étreinte en riant de contentement et en répétant, comme dans mes rêves les plus échevelés :

— Zamor, ah ! Zamor, mon Zamor !

Les retrouvailles avec le Duc manifestèrent davantage de retenue mais pas moins de chaleur. Madame d'Aiguillon complimenta longuement son amie sur le choix de son nouveau séjour, et Mademoiselle Chon, qui se trouvait là elle aussi et ne cachait pas ses larmes de joie, se mêla aux congratulations d'usage. Tandis que nous entrions tous dans la maison, j'observai ma Comtesse du coin de l'œil : non seulement cette année d'exil un peu rude n'avait pas altéré sa radieuse beauté, mais elle semblait même lui avoir rendu un éclat de juvénilité dont Versailles avait eu raison. Je découvrais Madame plus jeune, plus fraîche que jamais, et comme empreinte, au moral, d'une sérénité nouvelle et tout à fait irrésistible.

Nous devions passer quelque dix-huit mois à Saint-Vrain, qui furent sans aucun doute les plus doux de mon existence. Nous y coulions en effet des jours tranquilles et chaleureux, dans le charme d'une vie de campagne en tout point délicieuse. Madame m'avait rendu auprès d'elle tous les attributs et privilèges dont je jouissais à la Cour, mais sans les contraintes y afférant. Au reste, c'est une espèce de petite Cour en réduction qu'elle avait réussi à recréer dans cette vallée de la Juine. Les visites mondaines s'y succédaient à un rythme tout juste suffisant pour combattre l'ennui ; le reste du temps se passait en calmes divertissements et en dévotions.

Il faut dire que Madame avait mis à profit sa retraite à Pont-aux-Dames pour faire un retour sur elle-même, et que la compassion était alors devenue sa qualité la plus évidente. C'est moi qu'elle avait chargé d'organiser les charités dans les environs de Saint-Vrain ; et ce me fut un bonheur que de pourvoir à la dot des jeunes filles pauvres, à la distribution d'effets et d'objets divers, à la subsistance des indigents, aux distributions de pain et d'argent. Il me paraissait qu'à la beauté du corps Madame joignait maintenant celles de l'âme, et que sa perfection s'en trouvait augmentée mille fois.

— Zamor, me disait-elle souvent, venez ici et faites-moi le rapport du bien que nous avons fait cette semaine.

Je ne sais si c'est un effet des échos qui pouvaient remonter à Versailles sur la piété passablement édifiante de l'ancienne pécheresse, mais Louis XVI autorisa Madame à venir visiter sa maison de Luciennes pendant le séjour d'automne de la Cour à Fontainebleau. La vraie raison, je crois, est qu'on avait besoin de sa présence par là-bas, afin de régler la cession à Monsieur, frère du Roi, du bel hôtel Du Barry, avenue de Paris. A l'époque, je ne cherchai point trop ce qui me valait un tel plaisir : ravi de retrouver mon fief et les souvenirs qui s'y attachaient, je me fis un plaisir d'accompagner Madame dans ce petit voyage, qui fut très joyeux. C'était un effet de la jeunesse de ma maîtresse que cette gaieté qu'elle semait autour d'elle, pour peu que son horizon fût dégagé.

Cette année-là, c'est-à-dire dans les premiers mois de 1776, il gela très fort et il neigea beaucoup. Nous passâmes ces mauvais jours à Saint-Vrain, où notre hibernation fut à peine troublée par les visites fréquentes du duc de Cossé – notre ancien voisin à Versailles – et par celles, plus bruyantes et combien moins agréables, d'Adolphe, mon fugace maître d'armes. Pour ma part, je n'aimais pas ce jeune marié plein de morgue, qui voulait se donner des airs de prince, s'attribuait les trois quarts des terres de la Gascogne et les titres s'y rattachant, mais ne parvenait qu'à singer le fermier enrichi. Surtout, je lui reprochais certaines familiarités avec Madame, sa tante par alliance, familiarités qui pouvaient aller au-delà des simples démonstrations d'affection ordinaires entre proches parents... Il avait épousé le 19 juillet 1773 Mademoiselle de Tournon qui était pauvre mais de grande naissance. Madame du Barry avait donc remédié à l'absence de dot par une très confortable donation de 200 000 livres et utilisé la naissance pour faire signer le contrat par Sa Majesté le Roi suivi de toute sa maison à laquelle les du Barry au grand complet avaient emboîté le pas !

Pour le reste, je n'ai pas souvenir, dans ces temps doux et sereins, de la moindre fausse note dans notre symphonie champêtre. Nous célébrâmes, dans le courant du printemps, les noces de notre cuisinier, Monsieur Tranchant, et accueillîmes, à plusieurs reprises dans l'été, de petits bals que Madame m'avait chargé d'organiser pour le divertissement de nos paysans. Tout cela formait un tableau bien digne de Monsieur Greuze et, hormis quelques éclats imputables au vicomte Adolphe, il semblait bien que nous eussions concouru pour le prix des vertus campagnardes.

Enfin, dans le courant de l'automne, le duc de Cossé apporta dans ses bagages une missive à l'en-tête de la maison du Roi. Tout anxieuse, Madame se mit à l'ouvrir sous nos yeux écarquillés par la curiosité. Elle la lut d'une traite, en silence, et dans une attitude qui me rappelait cruellement la terrible scène de Rueil. Cette fois, pourtant, la conclusion fut différente. Le visage baigné de larmes – mais de larmes heureuses – elle me fit venir tout près d'elle et, d'une voix mal assurée où entraient quelque fierté et beaucoup d'attendrissement, elle me dit, l'air faussement accablé :

— Monsieur le Gouverneur, j'ai bien l'honneur. Figurez-vous que votre maison de Luciennes nous est rendue.

Sur quoi je tombai dans ses bras.

9

Retour à Luciennes

On n'habite pas du jour au lendemain une maison restée vide pendant près de deux années. Il faut y remettre les choses en état, des chéneaux aux cheminées, des carreaux aux fenêtres, et regarnir les réserves en bois, linge, vivres... Il faut songer que le personnel courant de Madame avoisinait alors les trente âmes, ce qui exige des provisions de toutes sortes. A Luciennes, les extérieurs avaient été à peu près entretenus en notre absence, et le château comme le pavillon, placés sous bonne garde et nettoyés en gros. Les ravages du temps n'en commençaient pas moins à s'y faire discrètement sentir et, pendant notre court séjour, à l'heure de Fontainebleau, Madame m'avait indiqué quels efforts allaient être nécessaires pour rendre son lustre à ce séjour naguère encore idyllique.

— Cette maison sent affreusement le renfermé, me dit-elle plusieurs fois ; arrangez-vous donc pour la rafraîchir.

Je m'y installai à demeure dès la première semaine de novembre et, jouant pleinement désormais de mon titre et de mes fonctions de gouverneur, je fis de mon mieux pour faire disparaître des lieux toute trace d'abandon et de laisser-aller. Je mis même la main à la pâte et ne manquai point de seconder jardiniers et tailleurs, cireurs, frotteurs, vitriers et plâtriers, couvreurs et ramoneurs dans leur grand œuvre. Si bien qu'après quelque temps d'un travail minutieux je pouvais me flatter d'avoir rendu le domaine à son premier éclat. Un habitué de l'ancienne Cour aurait pu de bonne foi le juger prêt à accueillir, comme au beau temps d'avant, les réjouissances du feu Roi.

Madame, qui avait recouvré, par une grâce expresse, la pleine liberté de ses mouvements, attendait à Paris la fin de ces petits travaux. Impatiente sans doute de quitter Saint-Vrain, elle s'était installée chez son neveu par alliance, dans un appartement que le jeune ménage lui avait dévolu au second palier de son hôtel. Cette proximité pouvait donner matière à médire aux langues assassines ; et le fait est que les politesses affectées que s'échangeaient sans cesse, sous couvert de jeu, ma maîtresse et le jeune Adolphe donnaient fort à penser sur la nature des sentiments qui les liaient. La nièce elle-même ne se privait pas d'en concevoir de l'aigreur ; et Paris se divertissait ouvertement de la discorde semée, au sein du couple Du Barry, par l'incursion plus ou moins forcée de l'ancienne favorite.

Tous trois se présentèrent à l'improviste à Luciennes pour la Saint-Nicolas. J'étais occupé ce jour-là à faire donner à fond les cheminées du pavillon, pour que les plâtres encore frais puissent sécher plus vite. L'initiative parut coûteuse et déplacée au jeune vicomte qui m'en fit deux ou trois fois la remarque devant Madame. Voyant que je demeurais impassible et me gardais bien de lui répondre, il prit un coup de sang et me tança vertement sur le premier prétexte. Je n'osai trop répliquer quant à moi et préférai me tourner plusieurs fois vers sa tante, dans l'espoir légitime, me semblait-il, de la voir prendre ma défense. L'ingrate s'en garda bien ; adoptant une sorte de détachement ironique, elle eût plutôt encouragé du regard ce jeune homme dont l'emportement était au demeurant si contraire à ses intérêts ! Si je n'avais eu l'élégance de quitter la place, il n'est pas impossible qu'elle eût abondé dans son sens, pour le seul plaisir de lui donner raison.

Il est aisé d'imaginer dans quelles extrémités de fureur

me jeta ce que je regardais comme une trahison, et quels vœux je formai pour l'avenir du vicomte Adolphe. Les circonstances me donnèrent, à quelque temps de là, matière à regretter ces vilaines pensées ; mais avec le recul, je me dis que ma haine d'alors n'était nullement injustifiée, et que j'avais, pour cette scène et pour quelques autres, toutes les raisons du monde d'en vouloir à ce petit-maître.

Deux semaines après cela – c'est-à-dire à la veille de Noël –, Madame réintégrait, à Luciennes, ses pénates que l'on venait, en dépit des méchants, de lui remettre à neuf.

Sans presque m'en rendre compte, j'avais accepté, en dirigeant la remise en état de la propriété, de me couler dans un manteau trop grand pour moi, et surtout fort éloigné de mes compétences habituelles. Or, Madame, s'étant bien trouvée de cet arrangement, fit en sorte, dès son retour, que je fusse assez occupé par ce nouvel office pour ne pouvoir, dans le même temps, continuer d'assurer auprès d'elle les tâches relatives à l'ancien. Ainsi me trouvai-je écarté discrètement des petits soupers, des promenades, des réunions intimes et des parties de jeu, pour m'occuper, loin d'elle et de sa société, de questions de fournitures, de fourrage et de coupes de bois. Je n'étais plus ce joli petit négrillon qui sert d'un geste minutieux de l'eau de fleur d'oranger dans des timbales de vermeil, mais un gouverneur indien qui traite avec les menuisiers du cru, et tente de se faire un nom parmi les régisseurs de bonnes maisons. Madame nous réunissait tous les soirs sous l'égide de Morin, son intendant depuis toujours – un homme qui m'avait connu dans l'enfance et croyait toujours devoir me gronder comme un chenapan.

Au reste, puisque ce nouvel office allait plutôt dans le sens de mon avancée en âge, j'aurais pu m'en satisfaire à tout le moins, et qui sait, m'en estimer heureux. Mais dans les faits, je ne pouvais accepter si facilement d'être écarté de celle à qui je vouais mon existence, et de n'être plus admis à la voir, une ou deux fois le jour, pour lui rendre compte d'affaires de personnel, de provisions ou d'entretien.

Je vivais cette mise à l'écart avec d'autant plus de rancœur que je voyais se reconstituer peu à peu, autour de la Comtesse, cette Cour brillante qui, jadis, à Versailles, avait fait son prestige et ma délectation. Les seigneurs les plus en vue, les dames les plus élégantes, avaient en effet repris le chemin de Luciennes, particulièrement lors des séjours qu'effectuait à Marly le jeune couple royal. Les motifs réels de ces visites étaient sans doute assez mêlés ; et si certains faisaient le déplacement par esprit de fidélité ou de sollicitude, de nombreux autres venaient chercher chez Madame, outre un besoin d'étancher leur curiosité, le sentiment piquant de fréquenter la vivante relique d'une époque brillante, certes, mais révolue.

« Parlez-nous de Louis XV », demandaient constamment ces visiteurs d'un jour, comme on prie certains chasseurs de narrer leur plus beau cerf, ou certains vieux soldats, de raconter leurs coups d'éclat.

Madame, jamais contrariante, ne se faisait pas prier et, sans qu'on ait besoin d'insister, y allait de son anecdote. Elle poussait la coquetterie jusqu'à dire « le Roi » pour parler de son ancien amant, comme s'il était toujours en vie et sur le point de pousser la portière et de paraître au beau milieu du salon.

« Vous êtes assis à la place préférée du Roi », pouvait-elle lancer à un hôte qu'elle entendait flatter. Ou bien : « Servez-vous de cette loupe, c'est celle du Roi... »

De telles déclarations, habilement placées, faisaient la plus forte impression sur l'auditoire qui en redemandait et, d'ailleurs, revenait souvent. Mais pour ma part, rien de tout cela ne me concernait plus ; ravalé au rang du personnel invisible, je n'avais accès aux intérieurs qu'en dehors des moments habituels de visite ; encore n'était-ce, je l'ai dit, que pour rendre compte des affaires courantes.

Certains des visiteurs de Madame n'en conservaient pas moins le souvenir précis de mes services. Mme la duchesse de Mirepoix, par exemple, ne manquait jamais, chaque fois qu'elle m'apercevait, de me saluer le plus chaleureusement du monde, m'appelant bien haut « Petit Zamor » et n'hésitant point à faire allusion à mon état révolu. Le maréchal de Richelieu, tout au contraire, paraissait avoir complètement oublié le rôle qu'il avait pu jouer dans ma vie ; me balayant du regard comme si j'avais été absolument transparent, il paraissait ne pas plus me reconnaître que si je n'avais jamais croisé son chemin. Aussi, un jour que Madame avait annoncé sa venue, me jurai-je bien de lui rafraîchir la mémoire. Il ne me fut pas difficile, en tant que gouverneur du domaine, de prendre discrètement la place de l'un des valets de pied chargés de l'accueillir à sa descente de voiture. Papa-Maréchal était un très vieil homme alors, et sortir d'un haut carrosse lui demandait un peu de temps et beaucoup d'efforts. Je mis ce moment de latence à profit pour lui adresser la parole, en dépit de tous les usages :

— Monsieur le Maréchal, tentai-je, puis-je demander à Votre Excellence si sa santé est toujours aussi bonne que lorsque j'avais l'honneur de loger chez elle ?

Le vieillard grogna, s'interrompit un instant dans sa manœuvre, et me dévisageant vaguement :

— Pardon, me dit-il, mais je ne me souviens que des jolies femmes.

— Je suis Zamor, insistai-je en désespoir de cause.

— Mais je sais qui vous êtes, répondit-il sur un ton désarmant. Seulement, que voulez-vous que ça me fasse ?

Il mit une main à sa poche, et je crus qu'il allait en sortir une de ses affreuses pastilles ambrées ; mais c'est un mouchoir qu'il en tira, pour cracher dedans sans plus d'égards pour ma personnalité négligeable...

Les jours où elle ne recevait pas officiellement, Madame partageait son intimité avec quelques fidèles choisis. En dehors de Mademoiselle Chon, les personnes que l'on voyait le plus à Luciennes étaient principalement Monsieur de Cossé et le vicomte Adolphe. Madame avait besoin, alternativement, du bras de l'un et de l'autre pour aller marcher dans le parc. Notre ancien voisin se montrait de plus en plus assidu dans ses visites et la maison bruissait des privautés que Madame était supposée lui avoir accordées. Pour moi, je pensais que les galanteries du beau gentilhomme ne pouvaient pas aller bien loin, le cœur de Madame étant retenu, de la manière la plus certaine, d'un tout autre côté.

En effet, un soir que j'étais descendu vers le bas du parc, afin de relever des carafes à goujon que j'avais placées dans un ruisseau, mon attention fut attirée par un bruit vague, comme des gémissements étouffés, qui venait du côté d'une pagode alors en travaux. Je m'approchai discrètement de la fabrique et, comme au temps des ébats royaux, surpris, depuis une ouverture, ma belle Comtesse en pleine occupation amoureuse. Il semblait que je fusse né pour cet emploi de voyeur impromptu... Elle était nue, complètement, et ses membres déliés, ses seins fermes et ronds, le galbe de ses hanches, ses fesses charnues, ses reins adorablement nacrés, tout cela m'apparaissait pour la première fois dans l'absolu de la beauté. Fasciné par ce que je voyais, je me surpris à découvrir l'anatomie du bel Adolphe, si jeune, si vigoureux qu'il semblait une insulte à la mémoire du feu Roi. La tante et le neveu se donnaient tout entiers à ce moment, comme pris du même vertige. Sans colère, sans frustration d'aucune sorte, je me mêlai d'un peu loin à leurs ébats ; je ne me figurais point à la place du vicomte, mais entre les deux amants, prenant et donnant du plaisir à chacun. A la fin, quand ces muscles souples, quand ces peaux soyeuses, quand ces paupières bleuies et ourlées de longs cils se furent ensemble alanguis de bonheur, j'en vins à louer le Ciel d'avoir rendu cela possible.

Je ne repensai que plus tard au lien de parenté unissant les deux amants, et ne pus, devant le souvenir troublant de leur étreinte, sacrifier à l'interdit que le jugement commun ne manquerait pas de leur opposer. Simplement je regrettais que ma maîtresse ait été redevable d'une telle extase à un jeune homme que je n'aimais point et qui me méprisait. Au reste, je n'eus pas à le supporter bien longtemps dans la place : effrayé lui-même par ses propres transports, craignant les soupçons légitimes de sa jeune épouse ou simplement repoussé par une maîtresse plus inquiète que conquise, il prit bien vite la clé des champs. Deux ou trois jours après la scène inouïe de la pagode, au réveil, la maisonnée apprit que le vicomte Adolphe et son épouse avaient quitté Luciennes pour un voyage assez long dans le Nord. Il semblait que la jeune vicomtesse eût ressenti le pressant besoin d'aller prendre les eaux du côté des Pays-Bas... Madame se dit attristée de ce départ assez inattendu ; en fait de quoi elle était au désespoir. Une fois de plus, elle eut donc à dissimuler, sous l'agréable surface de son humeur égale, les tourments d'une âme plus agitée qu'il n'y paraissait.

Quand la Comtesse entrait en mélancolie, elle éprouvait le besoin de s'abandonner à la compagnie de petits animaux charmants. A cet égard, aucun ne pouvait prétendre concurrencer la troupe des minuscules singes que l'on venait de lui rapporter des Amériques et dont elle appréciait fort la drôlerie. C'est moi qu'elle avait chargé de les amuser, et je trouvais quelque ridicule à cet emploi, qu'elle s'imaginait sans doute digne de mes origines. « Un singe parmi les singes », telle était en tout cas la réflexion de la plupart des visiteurs conviés à ces divertissements.

L'un de ces hôtes mérite qu'on s'y attarde, par l'importance qu'a revêtue, pour Madame, la visite qu'il lui fit. Un après-midi de mai 1777, la Comtesse reçut de Marly un message discret, l'informant du désir du comte de Falkenstein d'abuser incessamment de son hospitalité. Pour ceux qui l'auraient oublié, rappelons que c'était sous ce nom d'emprunt que voyageait le frère aîné de la Reine, j'ai nommé l'empereur d'Autriche Joseph II ! Hormis le roi Louis XV, naturellement, et le roi de Suède Gustave III, Madame n'avait jamais reçu à Luciennes de souverain régnant. C'est dire si, ce soir-là, notre petite réunion d'intendance prit des allures de conseil de guerre. Madame voulait non seulement que tout fût parfait pour recevoir l'Empereur, mais elle demandait de surcroît que l'on poussât le raffinement jusqu'à feindre la plus complète aisance. Il fallait que le souverain, tout en jouissant d'agréments exceptionnels, eût le sentiment de surprendre le cours ordinaire d'une journée toute simple à la campagne.

Le prétexte avancé pour cette visite était l'intérêt de l'Empereur pour le pavillon de Monsieur Ledoux ; mais en réalité, c'est une tout autre curiosité qu'il souhaitait découvrir ; il avait si fort entendu vanter la beauté de la favorite de Louis XV, qu'il mourait d'envie de la connaître ; à son air charmé ce jour-là, je crois pouvoir affirmer qu'il ne fut pas déçu et que la visite du soi-disant comte fut un rêve, de bout en bout ; Madame lui fit d'abord les honneurs de sa maison, dont les décors avaient été encore rafraîchis, éclairés *a giorno*, somptueusement fleuris, parfumés à l'idéal ; puis elle offrit à son hôte de marque une collation musicale des plus raffinées, avant de le conduire elle-même dans un parc admirablement tenu. Comme l'Empereur lui tendait le bras pour remonter vers le pavillon, elle sembla hésiter respectueusement à l'accepter :

— Allons, Madame, insista-t-il dans un très bon français, vous savez que la beauté est toujours reine !

Ma maîtresse fut infiniment flattée du geste et de la saillie ; et sans la décence extrême qu'elle mettait dans toutes ses attitudes, je crois bien qu'elle eût embrassé son visiteur. Quant à moi, en rajout de tous les préparatifs, je dus encore faire jouer les singes pour la distraction du monarque. Je ne suis pas sûr que Joseph II apprécia fort le spectacle, du moins eut-il la courtoisie de n'en rien laisser paraître.

A propos de ces singes, il arriva un soir que l'un d'entre eux s'échappa de leur cage et me contraignit à l'aller chercher dans les bois jouxtant la propriété. Cet événement bien anodin eut très vite des conséquences non négligeables sur la vie quotidienne dans notre petite république. Voici pourquoi. Alors que je suivais un sentier très fourni qui descend vers le fleuve, je tombai sur un cavalier d'âge mûr et de grande prestance, qui me demanda d'un air de gravité comment je me nommais, à qui j'appartenais, et ce que je pouvais bien faire à cette heure tardive sur ses terres. L'homme avait un accent anglais des plus sensibles ; or, il semblait connaître mes réponses avant que je ne les prononce.

— Ainsi, reprit-il sans me laisser finir ma phrase, ainsi vous êtes à Mme du Barry... Je n'ai pas vu votre singe, *sorry*.

Sur quoi il donna un coup d'étriers et disparut dans la pénombre. Or, dès le lendemain à l'heure du thé, quelle ne fut pas ma surprise de voir le même personnage se présenter chez nous, accompagné d'une dame à l'allure provinciale ! Il portait une petite cage dans laquelle était notre singe. Madame le reçut sans façons et le remercia chaleureusement de s'être donné la peine de récupérer l'animal.

— Il faut que les voisins s'entraident, déclara la femme, qu'il présenta lui-même comme son épouse.

Lord et Lady Seymour étaient propriétaires du château voisin de Prunay, dont on aperçoit les toits depuis Luciennes. La Comtesse leur fit les honneurs du fameux pavillon et ne les laissa repartir qu'assez tard dans la soirée, non sans leur avoir fait promettre de revenir la voir au plus tôt. Lord Seymour promit... et tint parole ! Désormais, plusieurs fois par semaine, nous dûmes en effet nous habituer à voir se profiler sa silhouette élégante sur nos frondaisons. Il venait seul, désormais, en général après son dîner, sur les coups de trois ou quatre heures, et passait avec Madame des moments délicieux à deviser aux beaux jours dans le parc, ou près du feu lorsque le temps l'exigeait. Mademoiselle Chon partageait l'inclination de sa belle-sœur pour le charmant Anglais, et j'ai toujours pensé qu'elle avait contribué pour beaucoup à les rapprocher. C'est elle notamment qui, sachant le goût de Lord Seymour pour tout ce qui pouvait toucher au Grand Siècle, avait eu l'idée de lui faire adresser par Madame un fort beau jeton de jeu du temps de Louis XIV, qu'elle avait chiné la veille à Paris. Elles accompagnèrent leur envoi d'un petit compliment qui fit son effet car dès le lendemain, c'est non plus en voisin, mais en ami et presque en courtisan, que l'amateur de beaux objets se présenta chez nous.

Il serait peu *fair play* de ma part de cacher la répulsion que cet homme-là m'inspira très vite. Les esprits mal tournés penseront que ma jalousie native, et le dépit de me voir préférer un presque vieillard, gâtaient là-dessus mon jugement. Sans leur donner tout à fait tort, je veux ajouter que Lord Seymour, sous des dehors volontiers enjôleurs, me paraissait dissimuler la nature la plus sèche et la plus vaniteuse qui fût jamais. Certes, son élégance tout anglaise ne manquait pas de charme, surtout dans un temps qui plaçait l'Angleterre au-dessus des nations civilisées ; son attention de tous les instants pour ma maîtresse ne pouvait la laisser longtemps indifférente... Mais il me parut bientôt qu'il fallait beaucoup d'aveuglement pour ne pas comprendre que « Milord » était plus flatté dans son orgueil qu'ému dans son cœur d'avoir su séduire à si peu de frais l'ancienne maîtresse en titre du roi de France. Lui-même semblait ne pas croire à sa bonne fortune ; et c'est tout juste s'il ne demandait pas à son amie de décliner son nom, de temps en temps, pour être bien certain qu'il ne rêvait point...

L'idée me vint donc de tout faire pour contrarier une aventure dont je sentais bien que Madame ne pouvait sortir que diminuée. J'imaginai, à cette fin, de dérober l'un de ces billets galants dont l'Anglais inondait sa célèbre voisine, et de le placer très innocemment sous les pas de sa duègne d'épouse. Je n'ignorais rien en effet des habitudes au demeurant très routinières de cette dame, et pouvais prédire, à l'heure près, l'itinéraire de ses promenades. Le billet que j'avais choisi était tout à la fois gaillard et explicite. J'en ai bien sûr oublié les termes, mais le fond m'est demeuré présent à l'esprit : lord Seymour s'y déclarait possédé par les charmes de la Comtesse et prêt à le lui prouver sa vie durant ! Je riais moi-même en déposant cette pièce à conviction tout près du banc où la bonne dame venait le soir se reposer. D'ailleurs, j'étais si sûr de mon effet que je ne pris pas le risque de demeurer caché pour la voir découvrir son infortune ; je me disais que je serais informé très sûrement des évolutions de l'affaire, et bien assez tôt. Je me trompais. En fait, rien ne vint de tangible, et les journées passèrent sans que l'on pût constater le moindre changement dans les habitudes des deux amoureux. Je revins près du banc et ne trouvai pas le billet ; quelqu'un l'avait donc pris, mais qui ? J'en venais à désespérer de tous les stratagèmes, quand un dénouement plus sûr encore vint éloigner une bonne fois pour toutes le pauvre homme de ma belle Comtesse.

Je l'appelle un pauvre homme, parce que, en dépit de ses faussetés, je suis certain qu'il fut trompé dans ses sentiments. Excessivement sensible à la flatterie, Madame l'avait, en effet, mené le plus loin possible dans l'exaltation amoureuse, et je ne crois pas me tromper en disant qu'il devait éprouver pour elle tout ce qu'un cœur sensible peut ressentir à la fréquentation trop assidue d'un tel être. De son côté, je crois qu'elle nourrissait aussi pour lui quelque tendre penchant. Seulement ce sentiment plus ou moins impérieux vint se heurter chez elle à une autre liaison, incomparablement plus intéressante, et s'y briser. Mise en demeure de choisir entre les élans de son cœur et les aspirations de son esprit, l'ancienne favorite n'hésita guère et ne transigea point ; elle choisit les secondes, et rompit brutalement avec son ami anglais pour tranquilliser son amant parisien. Je vais dire tout de suite qui était cet amant, quand il l'avait conquise et comment il a su la garder. Mais auparavant, je dois encore faire mention d'une nouvelle dramatique et bien édifiante, qui nous surprit à Luciennes vers la même époque.

Ce jour-là, juste avant le dîner, je vins présenter à ma maîtresse son courrier de poste. La première lettre qu'elle prit fut justement celle qui lui annonçait la mort en duel de son neveu Adolphe. Madame étouffa un cri, porta les mains à sa bouche et manqua de se trouver mal au point de se laisser conduire au lit par ses femmes. Il semblait, à ce qu'on put lire sur le pli, que le jeune vicomte avait péri d'un coup de pistolet vicieux tiré par un Irlandais, le comte Rice, qui avait détourné sa jeune épouse. Moi qui connaissais bien des sulfureux détails sur les derniers temps du jeune homme – et devais être le seul à en partager le secret avec sa tante –, je ne pouvais m'empêcher de goûter l'ironie de la situation et de méditer sur les enseignements dont certaines destinées, quoique absurdes en apparence, se révèlent porteuses au fond. D'une certaine manière, je regrettais qu'en dépit de l'ancienneté de ma propre passion pour cette femme le sort n'ait pas voulu que j'eusse partagé le destin d'Adolphe du Barry – ou même, à défaut, celui, plus commun, de lord Seymour.

10

Un temps pour aimer...

Le deuil où la mort violente du Vicomte avait plongé Madame ne fit que rendre plus évidentes les qualités de décence, de réserve et de grandeur d'âme dont elle faisait chaque jour la preuve. On en dissertait à Versailles, pour ce que j'en savais ; mais on n'en parlait pas moins à Luciennes, dans le village même et ses environs. Les gens de petite condition qui, depuis maintenant des années, bénéficiaient des charités de la Comtesse et pouvaient observer sa bonne grâce et sa simplicité, n'en finissaient pas de s'extasier sur cette nature généreuse. Aussi le malheur qui frappait sa famille fut-il pleinement ressenti dans tous les alentours ; et l'on vit des femmes du peuple venir apporter à celle qu'elles nommaient plaisamment « la Bien-aimée » une corbeille de fleurs en signe de deuil et de marque d'affection.

— Je suis bien triste de ce qui est arrivé, me dit une brave femme du village, quelques jours après l'annonce du décès d'Adolphe du Barry.

— Peut-être connaissiez-vous le Vicomte...

— Ma foi non, mais je connais sa tante, et ça suffit à ma peine.

Ma maîtresse recevait le touchant témoignage des humbles avec autant de gentillesse qu'elle en mettait dans ses rapports avec les Grands. Au fond, si toute sa façon d'être l'apparentait sans démériter aux Princesses, je crois pouvoir dire qu'elle était demeurée, pour elle-même, une femme du peuple. N'oubliant point ses origines, elle avait conservé, malgré les années de Cour, un fond d'idées populaires. Elle se sentait proche en cela de ceux qui, dans la noblesse même, se voulaient à la pointe de la réforme, et elle n'hésitait pas à revendiquer, quoique avec des réserves, son goût de la philosophie et son rejet des traditions dévotes. C'en était à se demander parfois si la même personne avait pu, du temps récent de sa splendeur, incarner à la Cour le parti favorable à la restauration des jésuites...

Une personne encouragea Madame dans son ouverture aux idées nouvelles ; ce fut justement ce grand seigneur dont elle devint la maîtresse attitrée, et dont j'ai promis de parler. Le moins qu'on en puisse dire est qu'il s'agissait d'une vieille connaissance, puisqu'il n'était autre que ce duc de Cossé, colonel des cent-suisses qui, à Versailles, était notre voisin de palier. J'ai déjà décrit la haute taille, la grande allure, les beaux cheveux blonds et le visage avenant de ce gentilhomme qui paraissait fait pour accompagner Madame, bien qu'il fût de neuf ans son aîné. J'ai moins évoqué l'étrangeté de son caractère, qui tenait de l'inconséquence ou de la légèreté, et mêlait à une ironie sans fond beaucoup de candeur sur le monde.

Monsieur le duc de Cossé, qui devait devenir duc de Brissac à la mort de son père en 1784, était marié à une grande dame dont le seul attrait était d'être née Mortemart. Constamment trompée, cette dernière avait eu du moins la discrétion de s'éclipser assez vite pour aller s'installer en Provence. Et si son mari ne songea ni à la remplacer ni à prendre aucune maîtresse attitrée, c'est qu'il était déjà tout éperdu de Madame du Barry... A défaut de convoiter la favorite de son souverain, ce qui était impensable, en revanche il n'était pas interdit d'attendre lorsque celui-ci était âgé qu'il s'efface naturellement... C'est ce que fit Monsieur de Cossé. Or, son attente ne dura pas. Sitôt Louis XV disparu, il devint l'un des fidèles soutiens de la Comtesse dans son exil, et le plus exact à fêter son retour à Luciennes. Il ne se passait pas trois jours sans qu'il vînt ponctuellement l'y adorer. De son côté, Madame le recevait fort bien, mais sans nourrir pour lui de penchants trop marqués. Moi-même, j'ai longtemps pensé qu'ils n'étaient guère plus liés que par de vieux souvenirs et des relations d'amitié, et il me fallut plusieurs années pour que j'admette la réalité de leur liaison amoureuse.

Devenu gouverneur de Paris, Monsieur de Brissac, avec son nom puissant, sa grande fortune et sa position éminente, offrait aux yeux de ma maîtresse des avantages incomparables. Il recevait brillamment dans son hôtel magnifique de la rue de Grenelle, et faisait les honneurs de somptueuses collections d'art aux invités de choix qui se pressaient à la porte de ses salons. Comment le pauvre Seymour aurait-il pu tenir face à de tels arguments ? Je me souviens que j'en riais sous cape. Car autant les privautés dont avait bénéficié l'Anglais m'avaient paru insupportables, autant j'étais disposé à reconnaître au Duc, en vertu de tout son pouvoir, le droit de succéder au feu Roi. Je sentais que, de la même manière, Madame, qui me semblait éprouver pour lui plus de tendresse intéressée que de véritable passion, pouvait fort bien lui appartenir en surface et demeurer disponible en son tréfonds.

Avec cela, le duc de Brissac était tout sauf un mauvais homme. Il m'avait connu fort jeune et sans doute apprécié. Un jour qu'à Luciennes il me voyait ramasser les débris d'une coupe que l'un de nos singes avait brisée, il me rappela l'incident du vase de Chine que j'avais moi-même cassé en pénétrant, à Versailles, dans son antichambre.

— Tu étais plus petit alors ! me lança-t-il assez sottement.

— Et vous, Monsieur le Duc, vous étiez plus grand.

La repartie lui plut, et des années durant il répéta ce

mot comme s'il fût sorti de l'auguste esprit de Monsieur de Voltaire.

Il n'en reste pas moins qu'avec le temps Madame se mit à passer des semaines entières à Paris. Elle en revenait joyeuse, étourdie, la tête pleine de fêtes et de bals à raconter. Il semblait que pour un peu Luciennes fût devenue secondaire à ses yeux. Tout ce qui chantait en elle, et souriait, trouvait matière à s'épancher plutôt dans la capitale ; quant à nous qui ne quittions pas notre vallon, il nous restait la douceur et la quiétude des entre-deux... Pour autant, jamais la Comtesse n'envisagea sérieusement de quitter sa thébaïde pour s'installer elle-même à demeure dans le faubourg Saint-Germain. Il semblait qu'elle tînt trop, pour cela, à son petit domaine et aux souvenirs qui lui restaient attachés.

— Madame, lui demandai-je un jour, il se dit beaucoup que vous songez à quitter Luciennes pour Paris...

— Il se dit tant de sottises, Zamor !

— L'idée pourrait vous venir, néanmoins...

— Je dispose à Paris d'amis assez bien logés pour me recevoir, quand le besoin s'en fait sentir.

— Si toutefois vous deviez le faire, m'emmèneriez-vous dans vos malles ?

— Puisque je n'ai, vous dis-je, nulle intention de m'en aller !

— Mais si, d'aventure, la chose finissait par arriver...

— Il suffit, Zamor, vous devenez lassant.

Qu'aurait-il coûté à ma bonne fée de me rassurer tout à fait, en me promettant, comme elle l'eût fait jadis, de ne m'abandonner sous aucun prétexte ? Les témoignages de cette affection dont on la voyait partout si prodigue étaient-ils réservés aux enfants, aux vieillards et aux indigents ? Et n'étant, pour ma part, rien de tout cela, devais-je être traité avec la froideur et la distance qu'elle affectait maintenant à mon encontre ?

Plus ma maîtresse s'obstinait à mettre entre nous cet

écart qui sépare ordinairement les maîtres des valets, et plus je m'ingéniais, pour ma part, à vouloir l'abolir. La moindre occasion m'était bonne. Un matin qu'elle m'avait fait appeler par le truchement de l'intendant Morin, pour me parler de plantations nouvelles qu'elle souhaitait faire sous ses fenêtres, je pris prétexte de l'heure matinale et d'une intimité devenue trop rare pour m'appuyer nonchalamment contre une console de sa chambre – chose que j'avais faite mille fois à Versailles, et parmi dix mille bien plus familières ! Aussitôt, Madame se redressa dans son lit et, soudain très pâle :

— Enfin, Monsieur, me dit-elle, je crois que vous vous oubliez.

Je fis mine de ne point saisir, et demandai naïvement ce que j'avais fait de mal.

— Redressez-vous, Monsieur, redressez-vous et sortez tout de suite !

La voix était glaciale, le ton plein de morgue, et je sentis la colère monter du plus profond de mes entrailles. Comment cette princesse si bonne avec tout le monde, comment cette fée naguère encore si douce avec l'enfant que j'étais, comment cette femme à laquelle je vouais l'amour le plus entier, le plus pur, pouvait-elle me parler avec tant de hauteur, de mépris et d'indifférence mêlés ? Et c'est moi qui m'étais oublié ? Me levant lentement, j'approchai de sa couche, pas à pas. Je sentais que malgré moi, le mépris plissait mes lèvres. « Monsieur, vous vous oubliez... » Où était-il, le petit Zamor adoré, le colibri des îles, l'enfant chéri de sa bonne maman ? « Relevez-vous et sortez. » J'aurais voulu que mon cœur saignât et que des larmes me vinssent aux yeux. Mais c'est la fureur que je sentais plutôt affleurer. La fureur.

— Zamor, que faites-vous ?...

De surprendre à présent la peur dans le regard de celle qu'un instant plus tôt j'eusse défendue au péril de mes jours me fit venir la nausée. J'aurais voulu m'asseoir sur son lit, m'y rouler en boule, et me couler dans ses bras, comme avant ; mais c'est pour la choquer que je l'eusse fait, et seulement pour cela ; en fait de quoi je me trouvai si fort écœuré que je fis demi-tour à deux pas du lit. Effrayée comme jamais, elle n'avait pas attendu ; elle sonnait piteusement, ou du moins, elle avait sonné. Sa femme de chambre préférée, qui s'appelait Catherine et conservait quant à elle toutes ses prérogatives, accourut assez vite pour que je n'eusse point à ouvrir moi-même la porte de service. Avant de m'y engouffrer, je fis volte-face et, fixant la du Barry droit dans les yeux sous le regard incrédule de sa domestique, je crachai bien nettement sur le sol.

Plus mort que vif, je sortis au grand jour et laissai couler mes larmes dans le soleil. En un instant, et pour ce qui devait paraître une vétille, je sentais que tout l'amour que j'avais accumulé pour elle venait, comme un vin vieux tourne soudain au vinaigre, de virer à la haine. Et de cette minute, le seul nom de du Barry suffit à me faire monter à la bouche l'amère écume de la détestation.

Le hasard, ou la Providence, voulut qu'elle reçût le même jour la visite de son amant. Le Duc avait à peine sauté de son carrosse que je courus à sa rencontre et, mettant un genou à terre, le priai instamment de m'engager sur l'heure dans l'un des nombreux offices parisiens dont il avait la charge.

— Je vous en supplie, Monsieur le Duc, il y va de mon bonheur et de la quiétude de Madame du Barry.

Sentant que cette prière trop soudaine et trop spontanée cachait quelque affaire non réglée, Monsieur de Brissac réserva sa réponse. Il me releva par les épaules et, plutôt que d'entrer dans la maison comme je l'eusse imaginé, me prit à part un moment et me demanda quelques éclaircissements. Je lui dis sobrement que je ne souhaitais plus servir

Madame du Barry et qu'un éloignement de Luciennes était ce qu'il pouvait m'arriver de plus souhaitable.

— Si ta maîtresse est du même avis, me dit-il, je ne vois pas d'obstacle pour ma part...

— Je suis certain, Monsieur le Duc, qu'elle en serait la première ravie.

— En ce cas, demandons-lui tout de suite, ajouta-t-il en se tournant vers la maison.

Avertie par le bruit de l'équipage, et sans doute étonnée de n'être pas rejointe plus vite par son amant, elle venait de paraître sur le perron.

— Qu'est-ce que Zamor est en train de vous dire ?

Soit prévenance de ma part, soit effet de sa propre colère, je lui trouvai la voix aigre et vile d'une maquerelle. Le Duc lui dit en deux mots ma requête et son consentement de principe. Elle le prit par le bras et, sans m'adresser un seul regard :

— N'y songez pas, dit-elle, ce garçon parle sous le coup d'une stupide colère. Et pour le reste, sachez bien qu'il n'est pas bon à grand-chose.

Ces mots, qui s'enfoncèrent dans ma chair comme des pointes rouillées, eurent pour effet de muer, pour la dernière fois sans doute – ou l'avant-dernière –, ma colère en une peine immense. Tant de soins, tant d'efforts, tant d'amour discrètement contenu, pour en arriver à ce petit mépris injuste et bêtement vindicatif. J'étais trop désespéré pour pleurer, et trop anéanti pour regagner ma paillote. En fait, ma déception était si grande qu'elle me fit l'effet d'un grand seau d'eau fraîche. Je me sentis soudain plus clair et plus léger, comme libéré d'un grand poids. De sorte que, sans perdre une minute, je filai droit au pavillon, où je faisais remplacer, depuis quelques jours, les châssis des croisées de l'attique. Les ouvriers me virent entrer sur le chantier l'air dégagé, comme si je sortais d'une audience au cours de laquelle on m'eût décerné tous les compliments.

Jamais, dans la suite, elle ne fit la moindre allusion à notre altercation de ce matin-là ; et jamais, de mon côté, je ne lui donnai le sentiment de m'en souvenir. Je remplissais désormais les devoirs de ma charge avec exactitude, sans me montrer trop zélé, bien sûr, mais sans manifester non plus de mauvaise volonté. Simplement, je laissais à Morin le soin de décider de tout ce qui comptait vraiment, et m'abstenais de m'adresser à elle directement. Tout le monde, du reste, paraissait satisfait de ce nouvel état de choses, et dans les regards qu'elle m'adressait de temps à autre, il m'arrivait même de lire – ô ironie – quelque lueur qui devait ressembler à de la gratitude.

Sur le fond, la rupture était pourtant consommée : implacable, irrévocable, définitive. Et j'eusse préféré me laisser arracher la langue, que de sortir une chose aimable ou simplement respectueuse en sa faveur. Le moindre de ses gestes m'était devenu pénible à supporter ; j'y décelais la méfiance, la légèreté, le ridicule, là même où j'avais célébré jadis la confiance, la bonté, l'élégance...

Ma vie quotidienne changeait. Désormais, chaque fois qu'il m'était possible, je m'échappais du petit enclos de Luciennes pour venir me mêler, avec soulagement, à la population du village. J'y trouvais les gens sincères et droits, et m'étonnais chaque jour d'avoir pu tenir tant d'années en si piètre estime des personnes dont je ne finissais plus de louer les solides vertus. Mon point de chute, au village, était l'auberge de *La Louve Ancienne*, dont le tavernier, un brave homme nommé Renault, m'avait accueilli en ami, presque en parrain.

— Eh bien, petit, me disait-il invariablement, comment se porte ta châtelaine ?

J'avais beau lui répéter que je n'avais que des liens très lointains avec l'ancienne favorite, il y revenait toujours cependant, peut-être par jeu. Je crois qu'au fond cela le flattait, lui aussi...

La Louve Ancienne n'était pas une auberge comme les autres. On y faisait presque chaque jour des rencontres salutaires et fort variées. Des voyageurs improbables s'y arrêtaient comme sous l'effet d'un philtre, et des penseurs, et des savants... Certes, ce n'était point le café de Monsieur Procope ; mais j'ai le souvenir de certaine conversation soutenue, par une après-dînée pluvieuse d'octobre, qui ne devait guère avoir à lui envier. Je faisais mon miel de ces débats impromptus, et m'efforçais de retenir le titre des ouvrages qui s'y trouvaient cités. Le soir même, je priais ma chère Henriette de me les trouver dans l'immense bibliothèque de la maison, ce dont elle s'acquittait de son mieux...

C'est ainsi que je redécouvris sur le tard, mais avec une attention d'autant plus émue, les remarquables écrits de Montesquieu, de Rousseau, de Diderot, entre autres. Les textes du premier sur l'esclavage des Nègres, notamment, me remplirent d'admiration et de gratitude. Enfin, je m'apercevais que la pensée pouvait servir à l'homme à autre chose qu'à se délecter de stériles mots d'esprit. Enfin je comprenais qu'avec des idées, des mots, des livres, il était possible de faire évoluer la situation du genre humain. C'était une chose que d'octroyer la charité à des miséreux qu'on tenait par ailleurs pour quantité négligeable ; et c'en était une autre, incomparablement plus noble et plus belle, que de les considérer pleinement en tant qu'êtres humains et de les amener à l'émancipation naturelle.

Les théories politiques de Rousseau furent, à l'évidence, celles qui éveillèrent en moi le plus d'échos. Je trouvais magnifique que l'on pût, comme il le préconisait en divers endroits, substituer le droit à la force, la volonté commune à l'ordre divin, le bien de tous à la satisfaction d'un petit nombre. Les phrases de cet homme-là étaient si bien écrites, et ses idées si parfaitement formées, que je ne savais plus, en me berçant de sa prose bienfaisante, si je devais applaudir le poète ou louer le légiste.

Un jour que le service ne réclamait pas ma présence à une assemblée très brillante en l'honneur de je ne sais quel académicien, je vis s'approcher de ma paillote un homme corpulent, finement poudré et paré d'un élégant habit brodé. Comme j'interrompais ma lecture et me levais pour venir voir en quoi je lui pouvais être utile, je le vis regretter sincèrement mes efforts et me prier de ne rien changer pour lui.

— Vous êtes le fameux Zamor, me dit-il.

— En effet, Monseigneur, pour vous servir.

Ayant souvent entendu railler le début d'embonpoint de Monsieur, frère du Roi, je pensais que c'était ce Prince qui m'était venu rendre une visite inopinée. Mais plutôt que de me poser les questions habituelles aux Princes – « d'où venez-vous, avez-vous de la famille ici, depuis combien de temps servez-vous, etc. » –, le personnage m'entreprit sur un tout autre sujet.

— Il n'est pas facile d'être Noir, n'est-ce pas, dans une contrée peuplée de Blancs.

— Je ne sais pas, Monseigneur.

— Il doit arriver que l'on vous prenne pour une sorte d'animal...

J'en convins et racontai à l'inconnu combien de fois je m'étais entendu traiter de singe, notamment. Comme ce que je disais semblait l'intéresser, je lui dis ce que j'en ressentais, l'habitude que j'en avais prise, et le regret de ne pouvoir m'expliquer sur ce fait. La confiance venant, et l'assurance avec elle, je lui parlai de mes frustrations et de mes solitudes, auxquelles il voulut bien compatir. Je ne sais trop pourquoi, j'en vins à lui parler de la connivence que j'avais entretenue, jadis, avec l'éléphant de la Ménagerie royale.

— Le pauvre est mort, me dit-il.

Et comme je demeurais sidéré de cette nouvelle au demeurant de peu d'importance :

— Oui, insista-t-il, l'éléphant s'est noyé dans le bassin

de la Ménagerie. Il était ivre de bière. Pauvre animal, triste fin...

Mon interlocuteur s'éloignait déjà, comme s'il avait craint de déranger plus longtemps ma lecture. C'était Monsieur Necker, de retour de Genève, que j'avais pris pour le comte de Provence.

C'est à cette même époque qu'une anecdote apparemment insignifiante eut une grande importance dans la formation de mes convictions révolutionnaires. Parmi le personnel des cuisines, il y avait un certain François Salanave qui aidait Monsieur Tranchant. Je n'éprouvais guère d'affinités avec cet être simple, sans élévation ni ambition d'aucune sorte, et qui de plus affectait de tenir les Nègres dans le plus parfait mépris. Or, il se trouva qu'un beau jour le maître d'hôtel, un nommé Signot, dont le caractère insignifiant ne m'a pas jusque-là donné l'occasion d'en parler, surprit ledit Salanave à dérober prestement, pour les faire disparaître dans une nappe, les éléments d'un surtout de table en pâte de sel. En soi, le larcin était de peu de valeur ; mais il n'en était pas moins le geste d'un voleur. Sommé de s'expliquer, l'aide de cuisine avoua qu'il avait promis à une fille du village de lui montrer de quelles merveilles on avait coutume de couvrir les tables de sa célèbre maîtresse.

— Juré, je les aurais rapportés après, tentait-il de se justifier.

Il me paraissait que cet homme disait la vérité et que, en dépit de son indélicatesse, on devait lui donner sa chance et ne pas le punir trop sévèrement. En fait de quoi il fut renvoyé sur-le-champ, sans bulletin ni certificat. Le malheureux Salanave, outré de tant de rigueur, pleura comme un enfant à l'annonce de la sanction. Il demanda à parler à Madame du Barry qui ne voulut rien savoir et, contre sa réputation de clémence, alourdit la sentence en lui supprimant jusqu'à ses gages. Elle dut voir, à mon regard, que son attitude me faisait honte pour elle ; cependant, elle ne cilla pas.

— Vous me le paierez ! hurlait l'ancien cuisinier qu'on chassait maintenant au balai. Vous me le paierez tous !

Ce jour-là, je fus violemment tenté de le suivre et de joindre ma révolte à la sienne. Mais je ne le fis pas. Et notre vie servile put tranquillement reprendre son cours.

11

« L'Américain »

Les frémissements de la Révolution survinrent pour moi dans le meilleur moment : depuis quelque temps déjà, de saines lectures m'avaient ouvert l'esprit à la vraie pensée, celle qui ne perd jamais de vue l'intérêt général, du moins le croyais-je alors ! Et puis, ma propre expérience m'avait démontré les limites du système dans lequel nous nous débattions ; enfin, ma brouille avec celle qui, pendant tant d'années, avait endormi mon jugement, avait fait davantage, pour le réveil de ma conscience, que tous les sermons de la terre. En un mot, je menais ma propre révolution au moment même où le pays se lançait dans la sienne ; et je me disais que les avancées de celle-ci ne pouvaient que faciliter les progrès de celle-là.

Les grandes idées des Pères de notre Révolution étaient si bien ancrées dans mon esprit que je n'eus d'abord aucun mal à suivre les étapes de l'émancipation commune. En vérité, je devançais presque toujours l'événement d'une longueur et prenais d'entrée de jeu la mesure des moindres acquis concédés au peuple par les tenants de l'ancien pouvoir. Ainsi la simple réunion des états généraux, qui pour tant de monde ne signifiait presque rien, m'apparut-elle tout de suite comme décisive. Profitant d'un séjour de Madame à Paris, je fis en malle-poste le voyage de Louveciennes à Versailles pour voir défiler nos bons députés du tiers état dans les rues pavoisées de mille tentures. La masse de leurs tenues noires tranchait heureusement sur les ors et les plumes de la noblesse et sur la pourpre du clergé ; quant à leur silence imposant, il annonçait en vérité bien des éclats. Honnêtement, je puis me flatter d'avoir été parmi les premiers – et les plus enthousiastes – à acclamer ce jour-là, dans les rues, ces hommes qui, peu de temps après, oseraient enfin défier la monarchie et lui imposer une Constitution.

Dans le même ordre d'idées, avec tout le recul auquel la suite des événements allait me contraindre, je regarde la Déclaration des droits de l'homme comme la chose la plus belle et la plus émouvante dont cette crise politique ait finalement accouché. Proclamer, comme l'ont fait nos députés, proclamer à la face de l'univers que « tous les hommes naissent libres et égaux en droit », c'était faire entrer de force dans les mœurs une vision du genre humain fort éloignée de l'habituelle ; j'avais tant payé pour le savoir ! Aujourd'hui encore, le simple fait de tracer ces mots sur le papier m'emplit d'indicibles frissons... Il me faut ajouter que ni le duc de Brissac, ni sa protégée ne s'opposaient alors à de telles idées. En accord avec nombre d'aristocrates et de suppôts de la tyrannie, ils fondaient eux-mêmes de grands espoirs dans ces idées généreuses et, bien loin de les condamner, ils trouvaient plutôt matière à s'en gargariser, à peu de frais il est vrai.

— Ainsi donc, nous n'avons plus de corvées ! disait-on le 5 août à Luciennes.

— Reste celle d'aller à Versailles ! répondait le Duc, mi-amusé, mi-philosophe...

Les habitués de la maison appartenaient presque tous à cette noblesse éclairée qui soutenait Necker et attendait des miracles de la réforme. Les revendications du tiers état, loin de les scandaliser, trouvaient chez eux un écho favorable... Pour le reste, rien n'était modifié dans le service et dans la façon de vivre. La même morgue vous écrasait d'un bout à l'autre de la journée, les mêmes préjugés vous tenaient à mille lieues de l'espèce douée de raison, la même hauteur en tout rendait vos gestes vains et les leurs ridicules. Pour un peu, j'aurais préféré que tout ce petit monde campât plutôt sur la défensive et ne vint pas, d'un air faussement apitoyé, faire au peuple l'aumône de concessions et d'abandons qui, au fond, ne réformaient rien.

Au reste, l'attitude de Brissac et des siens, lors de ces journées d'Octobre qui virent la foule envahir Versailles et ramener le Roi à Paris, me confirma dans ce que j'avais depuis longtemps compris. Si les beaux esprits feignaient plus ou moins, pour le paraître, de partager les grands idéaux des représentants de la Nation, en fait, ils n'admettaient nullement qu'on s'en prît aux assises de leur pouvoir.

— Ces gredins-là sont capables de tout, disait volontiers celle qui, depuis vingt ans maintenant, me tyrannisait à merci.

— Croyez-moi, ce sera bien pis encore, lui répondait la princesse de Rohan.

Elle ne croyait pas si bien dire, et un jour allait venir hélas, où je verrais de mes propres yeux ma maîtresse les mains tachées de sang aider aux soins que l'on donnerait aux malheureux gardes du corps de Leurs Majestés rescapés du massacre du 6 octobre 1789 à Versailles.

L'installation aux Tuileries de la famille royale eut une conséquence indirecte, certes, mais néanmoins importante, sur mon organisation. En tant que grand panetier du Roi, le duc de Brissac se devait en effet d'assurer à la Cour un office quasi quotidien. Tout, maintenant, le retenait donc en cette capitale dont il était au demeurant le gouverneur ; et ce fut désormais à sa maîtresse de quitter plus souvent Luciennes pour l'aller retrouver là-bas. Chacune de ces absences me rendait la pleine disposition de mon temps ; et si j'avais jadis redouté ces éloignements, j'en étais venu alors à les souhaiter moins brefs et plus rapprochés, pour avoir le bonheur de respirer enfin en paix, loin d'elle.

Sitôt sa voiture hors les grilles, je me précipitais au village, dans le troquet du père Bon, dit « Siphon », ou à l'auberge du père Renault, à l'enseigne de *La Louve Ancienne*. Retrouvant là mes vrais amis, dont Salanave que j'avais appris à connaître et à mieux apprécier, je refaisais le monde... Il nous semblait qu'en ces temps singuliers tout nous était possible. Tout s'ouvrait, tout cédait... Il suffisait, pour que se transforment nos vies, d'en émettre le souhait et d'en préciser l'idée. Transmise à qui de droit par un réseau serré d'« amis de la Révolution », la réforme esquissée pouvait se retrouver inscrite au ciseau dans le marbre de la Loi. Or, Dieu sait si les abus nombreux dont j'avais été le témoin me donnaient de vraies, de grandes, de belles idées de changement !

C'est François Salanave lui-même qui, un beau soir, me présenta une jeune femme au teint mat et au regard très vif. Louise avait longtemps travaillé chez Oberkampf, à la manufacture des toiles de Jouy. On l'en avait chassée pour avoir incité les ouvrières à se dresser contre les conditions indignes qui leur étaient consenties. Depuis, elle tentait de subvenir à ses besoins en rempaillant des chaises. Plus que de subsides et de nourriture, c'est pourtant de livres que la belle Louise se disait avide ; elle prétendait en épuiser plus de trois chaque semaine. A la condition, naturellement, qu'elle me les rendît vite et en bon état, je me mis en devoir de lui en choisir à mon goût dans une certaine bibliothèque qui contenait plus de dix mille volumes assemblés pour Madame du Barry par son libraire parisien, tels les *Contes moraux* et *Nouvelles Idylles* de Diderot et Gessner ou certains ouvrages de Voltaire, ainsi que le fameux écrit de l'abbé de Mably qui fixait les « droits et devoirs du citoyen » ! Oui, vous avez bien lu ! Tout cela magnifiquement relié de maroquin rouge, frappé des armes fantaisistes attribuées à la Comtesse : « D'azur aux chevrons d'or », portant en cime un geai surmonté de la lettre G pour Gomard, son père. Ce qui avait fait dire en son temps que le geai s'était paré des plumes du paon ! Quant à la devise qui serpentait au-dessus, « Boutez en avant », imaginée par le comte du Barry, son époux, je préfère passer sous silence les jeux de mots de plus ou moins bon goût qu'elle ne cessa de susciter. Pour en revenir à ces livres dont Louise se disait constamment à court, je pris très à cœur cette nouvelle mission et m'attachai dès lors à poser sous ses yeux ceux-là mêmes qui avaient forgé ma mission de citoyen. Il se trouva que, de son côté, Louise en avait lu un grand nombre. C'est ainsi que de nos lectures croisées découlèrent maints sujets de conversations passionnantes qui pouvaient nous tenir, des soirées entières, attablés à *La Louve*. En fait, outre son intelligence et sa clairvoyance, il me parut d'emblée que Louise possédait ce que l'on appelle une nature d'exception. J'avais peine à admettre qu'une si remarquable personne en fût réduite, pour survivre, à se livrer à des tâches communes et rebutantes, comme de rempailler les chaises.

— Cela n'est pas fait pour vous, lui disais-je. Vous êtes une princesse !

L'hommage n'était point à son goût, le titre de princesse lui paraissant compter au nombre des plus haïssables. Louise soutenait avec feu que l'égalité de tous les hommes était un souverain principe, et que ce qui s'en écartait relevait de l'insulte aux lois les plus fondamentales. Je n'étais pas certain de partager toutes ses convictions là-dessus, en tout cas pas si ardemment.

— Enfin, Zamor, me disait-elle, ne voyez-vous pas que ces gens-là vous ont plus ou moins perverti le jugement ? Vous êtes empoisonné, mon ami, il faut vous purger d'ellébore !

J'aimais le ton faussement courroucé qu'elle adoptait dans ces moments, et sa voix si singulière, à la fois juvénile et rauque. Pour un peu, je l'eusse provoquée dans le seul but d'entendre ses révoltes délicieuses... Louise m'interrogeait beaucoup sur la vie et le caractère de celle à laquelle j'appartenais, selon cette formule qui avait le don, lorsque je l'employais, de l'exaspérer ; et je ne fus pas long à comprendre que sous une réprobation de surface, se dissimulait en fait, sinon de l'envie, du moins une curiosité très nette pour un personnage dont le destin devait la fasciner. J'en remettais donc pour ma part et faisais un conte de la moindre vétille.

— Savez-vous bien ce qu'elle a encore inventé hier matin ? commençais-je par exemple.

— Dites-nous, Zamor, dites-nous tout. Je suis sûre que ce sont encore des horreurs !

Mais il y avait bien plus d'amusement et d'excitation dans cette voix que d'indignation véritable. Par-dessus tout, j'adorais la légère inflexion de ses lèvres quand elle feignait ainsi de mépriser quelqu'un. Cela lui donnait, avec son nez aquilin et ses grands yeux clairs et expressifs sous des sourcils très noirs, bien dessinés, une apparence d'exotisme qui, loin de me dépayser, me semblait au contraire familière et presque engageante. A la vérité, le visage de Louise m'était devenu très vite aussi nécessaire que sa voix et que toute sa personne. Quand j'étais plus de deux jours sans la voir je me sentais tout désemparé et l'idée de la perdre de vue m'aurait mis au supplice.

Louise, comme Salanave d'ailleurs et comme tous ceux que la Comtesse indisposait, se montrait chaque jour plus friande des détails de cette vie d'un autre temps que l'on continuait alors de mener à Luciennes. Non contente d'en savoir de plus en plus sur la maîtresse des lieux, elle souhaitait en apprendre aussi sur le Duc et sur tout le monde. Un jour que je leur contais mes mésaventures avec l'intendant Morin au sujet de provisions de bois qu'il refusait de cautionner, ma belle révolutionnaire eut un mot assez brusque, qui me troubla :

— Celui-là, dit-elle, je suis impatiente de voir sa tête rouler dans la sciure.

La guillotine entrait tout juste en fonction alors, et l'on était loin de s'y être habitué. Certes, le récit d'autres atrocités nous était hélas parvenu, et je me rappelle l'air incrédule et les lèvres tremblantes de ma maîtresse lorsque l'on avait évoqué à voix basse, au lendemain de la prise de la Bastille, le supplice de Monsieur de Barras coupé en morceaux devant sa femme grosse de huit mois, ou le viol de Madame de Batteville contrainte la hache sur la tête de faire abandon de ses titres, ce qu'avait refusé trois heures durant Monsieur d'Ormesson que l'on avait fini, de guerre lasse, par tirer hors de sa voiture pour le jeter dans un étang. Mais personne ne pouvait alors imaginer le déluge de sang que cette nouvelle machine à tuer allait répandre. Aussi, je crois pouvoir dire qu'il y avait, dans les paroles de Louise, quelque chose de prophétique.

— Zamor, me demanda-t-elle un beau jour, m'accompagneriez-vous au Champ-de-Mars ?

Dans Paris, on ne parlait que de cette immense fête qui, pour le premier anniversaire de la Fédération, devait rassembler, autour du Roi et de la Reine, toutes les forces vives de la Révolution en marche. Nous y fûmes, naturellement, et dans le plus grand enthousiasme. Louise paraissait transportée par ce genre de grand-messe populaire, et n'avait de cesse de me voir participer plus intimement aux réjouissances. Or, quoique je n'eusse pas de plus grande ambition que de lui être agréable, je ne pouvais dissimuler une certaine réserve à l'égard du peuple : de vieux souvenirs m'y incitaient sans doute, mais aussi l'usage que j'avais pris, des années durant, de regarder toujours la foule d'un peu haut. Si critique en effet que je fusse de l'aristocratie, je ne pouvais me défendre d'avoir longtemps partagé ses habitudes...

— Vous êtes un aristocrate qui s'ignore, me répétait Louise.

Sur quoi elle me glissait prestement un baiser au creux du cou.

Au reste, l'année 1790 se passa sans événement majeur à Louveciennes, si l'on excepte le misérable article paru le 11 novembre dans *L'Ami du Peuple*, intitulé « Discours aux infortunés » que d'obligeantes mains avaient fait déposer jusque sur la table à écrire de Madame. On y pouvait lire que l'Assemblée nationale ne coûtait pas même à l'Etat le quart de ce que lui avait coûté « l'une des catins favorites de ce vieux pécheur de Louis XV. Ah ! Si vous l'aviez vue, il y a vingt années, couverte de diamants... donner par hottées à ses voleurs de parents les louis d'or de la Nation... ». C'était de la main de Marat et le reste à l'avenant mais ma maîtresse n'en avait rien su tant nous nous étions appliqués à le faire disparaître. Et je dois à la vérité de dire que moi qui ne rêvais que de vengeance, je fis partie de ceux qui brûlèrent ce torchon et ses copies. Etait-ce mes promenades sans cesse plus caressantes, plus complices avec Louise, nos tendres séances de lecture tête contre tête à l'auberge, tout ce qui finalement la rendait assez conforme à mes désirs... je ne sais, mais tout aurait pu durer longtemps de la sorte sans l'événement incroyable qui survint dans la propriété au début de l'hiver. Ce fut dans la nuit du 10 au 11 janvier 1791. Il y avait réjouissance à Paris, chez le duc de Brissac, en son hôtel de la rue de Grenelle où l'on fêtait l'Epiphanie. C'est dire si nous étions tranquilles à Luciennes et si tout y paraissait désert. Comme j'en avais pris l'habitude, je festoyais de mon côté chez Louise, dans la petite maison que lui prêtait un artisan à l'entrée du village, sans tirer les Rois, bien sûr, tant l'idée en répugnait à notre petite assemblée, mais tout au contraire en buvant allégrement à la fin des tyrans. C'est en revenant dans la nuit à ma paillote que je vis que le suisse, qui, d'ordinaire, gardait les abords de la maison, n'était pas à son poste. Ce jeune homme s'appelait Rouge. Il avait dix-huit ans et avait été dépêché là par le gouverneur de Paris, afin de surveiller un domaine de plus en plus souvent délaissé par sa propriétaire. Je n'avais nulle raison de douter de son honnêteté, mais par ailleurs je connaissais sa nonchalance ; aussi je ne m'inquiétai point de son absence en cette nuit de fête.

Le lendemain matin, c'est Morin qui découvrit les premières traces d'effraction, et constata toute l'étendue du vol en se précipitant dans la chambre inoccupée de sa chère maîtresse. A l'aide d'une échelle, les cambrioleurs étaient entrés en brisant un carreau dans l'antichambre de Madame, puis ils avaient fracassé le coffre sur pieds incrusté de plaques de Sèvres qui contenait les écrins de ses bijoux et s'étaient enfuis avec cette fortune. Sitôt prévenue, Madame accourut à bride abattue dans la matinée ; les traits défaits, les yeux rougis d'avoir sans doute beaucoup pleuré, elle semblait si désemparée que pour un peu je l'eusse prise en pitié. Informé par sa femme qui continuait de servir dans la maison, Salanave vint me trouver à l'auberge dans l'après-dînée et, me tirant de mes bons sentiments, me fit sentir, au contraire, toute l'indécence de cette femme uniquement préoccupée de ses insolentes richesses, dans un temps où la disette menaçait constamment le plus gros de la population.

Louise joignit ses sarcasmes à ceux du cuisinier renvoyé ; et tous deux se répandirent en invectives quand je leur eus signalé, le lendemain, l'arrivée à Luciennes d'un policier privé anglais, Monsieur Parker Forth, grassement payé par le Duc pour aider sa protégée à retrouver son bien. Le vol ayant été commis pendant qu'elle se trouvait dans son hôtel parisien, Monsieur de Brissac s'estimait en effet responsable de ce qui était arrivé, et cherchait par tous les moyens à s'en dédouaner.

Jusque-là, je ne savais pas exactement ce que l'on avait dérobé à celle que l'on n'appelait plus, dans certains libelles, que la « catin royale ». Mais j'étais mieux placé que quiconque pour connaître l'étendue et la magnificence du fabuleux trésor. Combien de fois, à Versailles, n'avais-je pas eu l'occasion, profitant de l'incroyable indulgence de la dame, de jouer avec des pierres énormes, comme d'autres enfants s'amusent avec des osselets... Pour être tout à fait sincère, je dois reconnaître que, parfois, j'avais moi-même été tenté d'en subtiliser quelque chose, et de m'enfuir loin de tout pour refaire ma vie et connaître la liberté... Le courage m'avait manqué peut-être, ou, plus simplement, le fond de malhonnêteté nécessaire. Ce fond-là, d'autres l'avaient eu, assurément.

Et la liste que la Comtesse fit établir de ce qu'on lui avait dérobé, afin que tous les joailliers en fussent avertis, avait de quoi donner le vertige. « Deux mille louis à gagner et récompense honnête et proportionnée aux objets qui seront rapportés », proclamait l'affichette dont on couvrit les murs de Luciennes et de Paris, mais aussi ceux des principales villes de la République et de l'étranger. Suivait l'énumération desdits « objets » qui donnait le vertige. Outre la centaine de gros diamants allant de 23 à 30 grains, dont un carré de 60, on y avait recensé 700 brillants, plus de 300 grosses perles et autres pierres précieuses montées en bagues, bracelets, boutons d'oreilles dont une paire toute de diamants pour un poids de 100 grains, sans parler d'un collier « en esclavage » formé de 200 perles, d'une profusion de camées montés sur or, de miniatures enrichies de diamants toujours et encore... Ces diamants dont l'éclat allumait les regards de celles et ceux qui parcouraient avidemment la provocante liste. L'idée au départ était astucieuse, puisqu'il s'agissait simplement de rendre plus difficile l'écoulement des pierres et autres joyaux, tout en augmentant, par la récompense promise, les chances de retrouver les coupables. Ce que l'on n'avait pas prévu, c'était le scandale provoqué partout dans le public, par l'étalage de richesses extravagantes dont personne n'ignorait la scandaleuse origine. Je crois, sans emphase, qu'il est possible d'affirmer que, ce jour-là, Madame du Barry signa son arrêt de mort.

Du moins la publication de la liste atteignit-elle son but :
les voleurs ne tardèrent pas, de cette façon, à être repérés
en Angleterre, à Londres même. Sans perdre de temps, leur
propriétaire légitime – ou qui s'estimait telle – décida de se
rendre sur place pour hâter l'enquête et retrouver son bien.
Elle s'embarqua vers la mi-février avec quelques servantes
et le chevalier d'Escourre, un ami de Brissac, pour seule
escorte. Son séjour fut bref, et début mars elle était de
retour à Luciennes. Seulement la procédure anglaise, dite
de *common law*, était extrêmement complexe, surtout en
l'absence de ce que l'on appelle une « convention d'extra-
dition » ; cela devait donc nécessiter plusieurs voyages...
C'est ainsi qu'elle en fit deux autres la même année, l'un
au printemps, l'autre en été.

Autant le confesser : à la faveur de ces longues absences,
ma vie, dans le courant de 1791, prit un tour oisif... Je
passais le plus clair de mes jours à commenter les soubresauts politiques, dont la fuite du Roi et son arrestation à
Varennes, en juin, furent les plus marquants. Louise partageait ma passion pour ce débat public ; et c'est avec
bonheur que nous fîmes la connaissance d'un nouvel interlocuteur dans la personne flamboyante de George Greive.

Il s'était installé à Louveciennes dans le courant de l'hiver, avec l'intention affichée d'en découdre avec « la du
Barry ». Il était né à New-Castle, en Angleterre, mais
arguant de l'amitié qui le liait à Benjamin Franklin, il s'attribuait volontiers le titre honorable de citoyen des Etats-Unis
d'Amérique. Il se disait agitateur et anarchiste et proclamait
à qui voulait l'entendre qu'il était « le grand désorganisa-
teur de la tyrannie dans les deux hémisphères. » Je dois
préciser qu'au premier abord ce Greive me plut davantage
qu'à Louise. Elle le trouvait « épais et pesant », trop
bruyant et surtout bien trop infatué.

— Méfie-toi de cet homme-là, mon frère, il ne t'appor-
tera que des ennuis.

Curieusement, il semblait que la convergence de vues de

Greive et de Louise les eût disposés à se détester d'emblée. Lui, de son côté, reprochait à mon amie de se montrer trop modérée dans ses propos, trop timorée dans ses actes. « Il faut tout casser, hurlait-il dès son deuxième verre d'eau-de-vie. Il faut en éventrer la moitié et noyer ce qu'il reste dans le sang répandu ! »

Avec une telle philosophie, il n'était pas étonnant qu'il s'en soit pris à l'ancienne maîtresse du « tyran Louis XV ». Ce qui surprendra peut-être davantage, c'est qu'il fit exprès le voyage pour lui nuire, certain, par sa seule présence, de retourner contre la « tigresse » la population de Louveciennes, « endormie par ses bonnes paroles et ses fausses charités ».

— Greive feint d'en vouloir à ta comtesse, me disait Louise, mais en fait c'est à son argent qu'il en veut.

J'eusse mieux fait, assurément, de l'écouter. Mais, bien que les propos de Greive m'aient plus d'une fois choqué, je ne pouvais m'empêcher d'acquiescer à ses moindres volontés, quitte à me mettre un peu moi-même à son service. La personnalité de cet homme, son caractère, son assurance, ses certitudes, tout cela m'impressionnait et me portait à lui proposer mon aide, mon soutien... ma complicité, sans doute, puisqu'il faut appeler les choses par leur nom.

A l'inverse, l'acharnement de l'Américain contre la Comtesse poussait Louise, sinon à la défendre, du moins à modérer les jugements que l'on pouvait porter sur elle. Il advint même que, à la faveur des voyages outre-Manche de la propriétaire des lieux, mon amie me priât de lui faire les honneurs de Luciennes. Je la conduisis donc discrètement au pavillon de Ledoux, dans les fabriques et jusqu'à ma paillote. Un jour que nous profitions ainsi des premières chaleurs de l'année, mes fenêtres ouvertes en grand sur la vallée, Louise se laissa tomber souplement sur mon lit et s'arrangea pour m'y entraîner. D'un seul coup, je sentis mon cœur s'emporter et mon ventre brûler. A la fois experte et fort discrète, Louise me guida dans la découverte de ses appas. Nous nous couvrîmes de baisers et de caresses jusqu'au moment où, étourdi de bonheur, je la tirai alors par un bras et la conduisis, presque nue, jusqu'à ce pavillon chinois qui, jadis, avait abrité les amours licencieuses de la tante et du neveu. Et c'est en cette pagode que nous nous aimâmes pour la première fois librement, bien que le cours de nos ébats fût interrompu un peu tôt par des bruits qui parurent la terroriser. Il semblait que, par-dessus tout, Louise craignît qu'on ne la prît en faute, et dans ma compagnie.

Ce fut lors d'un troisième voyage de la Comtesse à Londres que nous poussâmes l'audace jusqu'à pénétrer de nuit dans la maison. J'avais soudoyé le valet chargé d'en garder l'accès et allumé toutes les bougies de la chambre. Sous le regard incrédule de Louise, je me dévêtis alors, puis, écartant les rideaux de mousseline blanche piquetée d'argent du baldaquin, je m'étendis, offert, sur le grand lit de la courtisane. Riant et soupirant à la fois, ma belle amante m'y rejoignit bientôt. Notre étreinte, ce soir-là, fut la chose la plus douce qui me soit arrivée de ma vie. Elle allait se prolonger en enlacements savants et avides, et culminer dans des ébats furieux. Tout en donnant du plaisir à Louise, je fixais droit dans les yeux le portrait de la Comtesse. Son préféré. Celui où Drouais l'avait représentée en muse. Elle avait vingt-huit ans lorsqu'il l'avait peinte ainsi et exposée au salon. Cette même et heureuse année 1771, sur un autre portrait de Gautier d'Agoty, j'avais été représenté à ses côtés. J'étais si jeune, si indispensable alors et si aimé, pensais-je... A peine esquissé dans le coin gauche du tableau, je tiens un fragile plateau de laque et je la dévore des yeux. Elle, en déshabillé de dentelles devant sa table à coiffer, tient entre ses mains la petite tasse d'argent que je viens de lui apporter, mais ce n'est pas moi qu'elle regarde... Comment se fait-il qu'après tant d'années, tant d'amour mêlé de tant de chagrins et de drames, je sente encore, lorsque je repense à elle, l'eau me monter aux yeux... Cette nuit-là, m'acharnant sur le corps de Louise qui avait les yeux de ma Comtesse, je ne sais si mon plaisir s'augmenta de la revanche que je prenais ainsi ou s'il s'en trouva diminué, mais ce dont je suis sûr c'est que plus jamais je n'ai ressenti cet étrange état où la fureur, se mêlant à une désespérante convoitise, me précipita aux portes de la folie.

Nous vidâmes les lieux bien avant le jour, et c'est à l'aube que je déposai Louise au seuil de sa maison.

— Merci, mon ami, dit-elle dans un souffle en m'embrassant encore. Merci pour tout.

Je voulus répondre, mais elle mit ses doigts sur mes lèvres et disparut comme une ombre. Ivre de bonheur, je rentrai chez moi comblé, la tête pleine des espoirs du jour à venir et des promesses de la nuit suivante. Je ne pouvais deviner qu'à ce moment même la malle de ma chère Louise était déjà prête depuis longtemps et que, deux heures plus tard, elle allait pour toujours disparaître de Louveciennes et de ma vie.

Pourquoi Louise avait-elle ainsi décidé de déserter notre couple ? Elle ne me laissa pas le moindre mot d'explication. Mais derrière ce silence, je crois aujourd'hui déceler la crainte de voir décliner une passion qui, jusque-là, n'avait fait que croître de jour en jour. La peur aussi, peut-être, de me voir tomber un peu plus sous la coupe de ce Greive qu'elle ne se cachait plus de détester entièrement... A moins qu'elle n'ait deviné, en voyant mes larmes, qu'elle aurait toujours une rivale d'autant plus puissante qu'elle n'avait rien cédé. En tout cas, quelle que fût sa raison, elle ne me priva pas moins cruellement du seul vrai bonheur de mon existence. Et cette séparation, qui faillit me faire perdre la raison, eut pour effet de m'ôter jusqu'au souvenir des mois qui suivirent...

Je sais cependant que lorsque la Comtesse, fin août, rentra de Londres, elle voulut bien s'inquiéter de mon état déplorable et des signes de faiblesse que je semblais donner. Elle me fit soigner par son propre médecin, et permit même que Salanave, qui pourtant n'était pas chez elle en odeur de sainteté, vînt me voir plusieurs fois la semaine, et me donner des nouvelles de notre petite bande. C'est par lui que j'appris, vers la fin de l'année, que le 16 octobre 1791 le duc de Brissac avait été nommé par le Roi commandant de la garde constitutionnelle ; une maison militaire de mille huit cents hommes qui devait remplacer sa garde personnelle dissoute et en partie, comme je l'ai dit, massacrée. Ce qui, sous couvert de privilège et d'honneur, l'exposait au feu de l'opposition législative... Mais au fond, tout cela m'était devenu presque indifférent. Je ne songeais qu'à Louise, ne parlais que de Louise, et ne formais aucun rêve qui ne tournât autour d'elle. Je voulais croire qu'elle m'allait revenir, et finissais par me convaincre qu'un matin elle pousserait enfin la porte de ma chambre, un sourire triste au coin des lèvres, pour prendre ma tête entre ses mains si menues, et me prodiguer ces soins magiques qui m'eussent tiré de l'enfer... Mais Louise ne revint pas. Trente-cinq ans après, il m'arrive même de douter qu'elle ait jamais existé.

Il me fallut longtemps avant de reprendre des forces, et de puiser en moi le courage de redescendre au village pour aller devant sa maison puis dans notre auberge, auprès de nos amis communs. Quand je le retrouvai, Greive avait beaucoup gagné en hargne et en dureté. Son obsession était l'anéantissement de celle qu'il appelait « la nouvelle louve ». Il est vrai que tout semblait l'y inviter, à commencer par le climat politique. Le 20 avril, la France avait déclaré la guerre au roi de Bohême et de Hongrie. Cet état de fait, en officialisant la situation d'encerclement de la France, rendait enragés les révolutionnaires comme Greive ; et moi-même, je me sentais glisser tout à fait dans le camp des adversaires de la royauté. Tandis que « l'Américain » fondait à Louveciennes une Société populaire des plus vigilantes, Salanave et moi entrions au Club républicain local, dont nous n'allions pas tarder, d'ailleurs, à devenir des chevilles ouvrières.

En réalité, notre agressivité contre la châtelaine de Luciennes s'enflait des révélations effrayantes que nous fit bientôt un nouveau venu dans le district, j'ai nommé le citoyen Blache, en poste à Londres jusqu'à la guerre, et qui avait été chargé de filer discrètement la Comtesse lors de ses trois premiers voyages dans la capitale anglaise.

— « Votre » Dubarry est une fieffée comploteuse, me dit-il sans savoir encore que je ne chercherais nullement à la défendre. A Londres, elle a passé son temps avec ce que l'Emigration compte de plus répugnant, de plus dangereux, de plus opposé aux intérêts de la Patrie.

Je ne doutai point, pour ma part, de la véracité de telles accusations, la sachant trop liée à certains cercles royaux pour ne pas chercher, les retrouvant dans le besoin, à les secourir d'une quelconque manière. Il semblait bien désormais que les événements, en nous donnant constamment raison, précipitaient sa déchéance et son malheur. Déjà l'on dénonçait à tout va. Des journaux jusqu'aux membres de l'Assemblée législative, c'était à celui qui débusquerait suspects et traîtres à la patrie. Suspect, le duc de Brissac l'était assurément. Par sa naissance d'abord, et puis par ses conquêtes. N'était-ce pas lui l'amant de la « catin du Roi » ? N'avait-il pas été choisi par le souverain et nommé par un brevet où Sa Majesté saluait les « grands et importants services » rendus, citant même ses ancêtres et louant sa fidélité et l'affection particulière portées à « notre personne »... Accusé de haute trahison, Louis-Hercule Timoléon de Cossé-Brissac, prévenu à temps aux Tuileries, eût pu fuir, mais, sûr de son bon droit et de son innocence, il ne le fit pas. Il fut arrêté à six heures du matin, le dernier jour de mai de cette funeste année 1792, et enfermé à Orléans en attendant d'être jugé par une cour spéciale. Un événement qui allait frapper de stupeur l'Europe tout entière et que nous fêtâmes avec force flacons de vin de Champagne qui provenaient de quelques pillages dont Greive ivre mort se vanta toute la nuit. Ma maîtresse apprit la nouvelle avec effroi, et l'on vit se reformer sur son visage, déjà fort altéré, ces marques de douleur que j'y avais décelées près de vingt ans plus tôt, quand elle avait reçu sa lettre de cachet. Elle n'en fit pas moins face avec un certain courage ; et je dois dire qu'elle ne ménagea point sa peine pour se rendre à Orléans, plusieurs fois même, à la rencontre de son amant prisonnier que l'on traitait maintenant de « commandant en chef des plaisirs de la Dubarry » et de « traître à la Nation ».

Quand survinrent les événements du 10 Août, je compris que notre triomphe n'était plus très loin. Greive, qui une fois encore avait bu hors de raison pour fêter le sac des Tuileries, me prit par le bras ce soir-là et, d'une voix où passait tout le fiel possible, me souffla comme en confidence :

— Cette fois, nous la tenons. Je te promets, citoyen, je te promets qu'elle n'ira plus très loin.

Et les événements faillirent bien, dès la semaine suivante, lui donner raison lorsque l'on découvrit chez elle un jeune garde constitutionnel, blessé lors de l'invasion des Tuileries, qui avait trouvé la force de venir se réfugier à Luciennes. Elle l'avait fait dissimuler derrière les matelas d'un lit d'alcôve, ce qui rendait sa position fort romantique mais peu sûre... car la femme de Salanave, qui servait toujours dans l'entourage de la Comtesse, l'avait vu et vint nous prévenir du manège. Tôt le matin, je vis arriver une patrouille qui se rendit tout droit au second étage, dans la chambre qui donnait au midi et que j'aimais bien pour les toiles d'indienne qui la décoraient et me rappelaient de lointains souvenirs de mon pays. Je dus une fois encore prendre sur moi et me composer un air sévère devant le pitoyable tableau que formait le jeune Maussabé, que j'avais à plusieurs reprises croisé, souriant et haletant, lorsqu'il apportait à la

Comtesse les lettres de son amant prisonnier dont il était l'aide de camp. Ce matin-là, réprimant du mieux qu'il le pouvait les sursauts de douleur qui le parcouraient à chaque pas, s'efforçant, livide dans ses pansements tachés de sang, de s'incliner devant celle qui l'avait généreusement protégé, il était parti pour une mort différée qui l'allait rejoindre le 3 septembre en prison. Sur le coup, la Comtesse n'avait pas osé s'interposer. « Qu'importe, martela Greive, elle l'a caché donc elle est complice et donc coupable. » C'était sans compter avec les accointances qu'elle avait encore à la municipalité et jusque dans la Section révolutionnaire ; et sauf à mettre en porte à faux notre informatrice, nous ne pûmes mener plus avant les poursuites.

Le 9 septembre 1792, j'étais à Luciennes lorsque les hommes de Fournier vinrent nous porter les restes du duc de Brissac. C'était au retour des prisonniers vers Paris qu'avait eu lieu l'horrible boucherie. Et le calvaire avait été long. Partis d'Orléans le 3 septembre dans des chariots qui servaient d'ordinaire au transport des boulets à canon, leur marche au pas des chevaux avait été, dès le début, accompagnée des cris de haine de celles et ceux qui les voyaient passer. Le 6, ils étaient à Etampes pour une halte d'un jour où les malheureux « suspects » en avaient profité pour écrire à leur famille ou à leurs proches des lettres qu'ils confièrent hélas à Fournier. Plus tard, Greive me révéla que celui-ci les avait gardées pour les remettre à la Convention. Puis ce fut Arpajon et enfin, le 9 septembre, les abords de Versailles où l'on devait, avant de les juger à Paris, les incarcérer pour les protéger de la foule, dans les cages de l'ancienne Ménagerie du parc !

Aux cris de « A bas les tyrans ! » avaient succédé « A mort les seigneurs ! ». Et le plus voyant de ceux-là était notre Duc, dans son « habit bleu uni à boutons jaunes », devaient préciser dans l'acte notarié de décès les Baudin père et fils. Je les connaissais bien pour les avoir croisés à

Paris chez Monsieur de Brissac au service duquel ils avaient été affectés.

Arrivés à la grille du château qui était cadenassée, les fourgons avaient donc rebroussé chemin, remontant la rue de l'Orangerie pour s'arrêter près de la fontaine des Quatre-Bornes. Là où, vingt ans auparavant, le duc de Brissac avait pour la première fois croisé le regard de Jeanne du Barry, sa future maîtresse. Y songea-t-il au milieu de cet ouragan de haine qui l'entourait de toutes parts ? Lui qui lui écrivait, le 11 août, « Vous serez ma dernière pensée »...

Ce fut là, devant cette fontaine, que la foule, voyant les prisonniers assis à même la paille, tenant leurs chapeaux sur leurs genoux, dételât les chevaux et commença le massacre à coups de hache, de pique et de pierre pour les plus démunis. Le duc de Brissac, qui s'était levé et avait désespérément tenté de retenir les portes, avait été le premier assailli. On lui avait taillâdé le visage, puis le corps, pour finir par lui trancher la tête que l'on avait fichée au bout d'une pique. Oui ! Ce fut par un bel après-midi ensoleillé que le Duc, ou ce qu'il en restait, fit son ultime promenade dans les rues de « ce pays-ci » d'abord, puis à Luciennes où l'on nous projeta sa tête comme une balle, par-dessus les grilles du grand portail. Le visage, qui n'était plus qu'un amas de chair broyée, semblait fort peu reconnaissable. Sans doute était-ce pour cela que dans un louable souci d'exactitude on avait collé sur son front une étiquette portant son nom. Cette vision me fit horreur et j'aurais voulu n'avoir jamais été là. Madame, que ce trophée morbide révulsait, ne sortit point pour le voir ; mais c'est à moi qu'elle confia la tâche funèbre de lui ménager une sépulture. Je m'en acquittai du mieux que je pus, sans pouvoir retenir mes larmes sur le sort de cet aristocrate qui m'avait toujours traité avec bonté, pour ne pas dire avec une certaine amitié.

Cet affreux épisode avait beaucoup refroidi mon ardeur patriotique. Greive ne fut pas long à s'en apercevoir et, ne voulant pas courir le risque d'un retournement de ma part, il entreprit très consciencieusement de me remettre dans le doit chemin.

— Je crois, citoyen, me dit-il une nuit, que personne mieux que toi ne peut comprendre l'oppression dont les tyrans et leur entourage se sont rendus coupables. Ils t'ont traité comme un singe, t'ont refusé tout amour véritable, ont usé de toi comme d'un objet de simple divertissement. Tu leur donnais le meilleur de ton être, la pureté d'un enfant plein de candeur ; ils répondaient par le mépris, la morgue, l'intérêt, la hauteur, la suffisance, le préjugé, la méchanceté... Toi, l'enfant de la Nature, l'apôtre de la Liberté, le digne élève de l'immortel Jean-Jacques...

A mesure qu'il parlait, je sentais remonter en moi une colère nouvelle, qu'entretenait la plus secrète, mais la plus destructrice aussi, de toutes les haines. Et quand Greive eut fini, j'aurais de bon gré dépecé, à mon tour, un tombereau d'aristocrates ! Mais en même temps, l'absence de Louise pesait sur ma conscience, et je ne pouvais m'empêcher de penser que, toute patriote qu'elle fût, elle n'aurait sûrement pas approuvé cette ivresse meurtrière.

A la mi-octobre, la Comtesse entreprit son quatrième voyage en Angleterre, accompagnée de la duchesse de Brancas, qui comme elle avait obtenu un passeport, et de la duchesse d'Aiguillon, de si triste mémoire pour moi, qui se faisait passer pour leur femme de chambre. Tout cela sentait la fuite... Je crus que Greive allait s'évanouir en l'apprenant : il lui paraissait évident que cette fois, sa victime préférée ne reviendrait pas. La « louve » allait lui échapper ! S'appuyant sur un décret contre l'Emigration voté à quelque temps de là, il entreprit donc contre la châtelaine de Luciennes une campagne de la dernière chance. Son but était de rendre la population consciente de la situation ambiguë de la fugitive et de soulever à son encontre une vague franchement hostile. Par crainte de paraître tièdes dans une période où la tiédeur devenait suspecte, de nombreux citoyens acceptèrent de jouer le jeu ; d'autant plus facilement qu'après le 21 janvier 1793 l'exécution publique du Roi semblait consacrer la victoire définitive de notre camp.

Faisant feu de tout bois, Greive collectionnait les charges contre sa proie. Il devait ainsi décréter, vers la fin de février, que Madame Dubarry pouvait être regardée non plus comme une personne voyageant pour affaires, mais bel et bien comme une Emigrée de fait. Le procureur du Syndic de Versailles ne chercha pas beaucoup plus loin et ordonna d'apposer les scellés sur Lucienne ! Apprenant cela depuis Londres, la pauvre femme sauta dans une voiture et revint le plus vite qu'elle le put de ce côté de la Manche. C'était se jeter dans la gueule du loup ! Je me souviens d'avoir été surpris, moi-même, par ce retour précipité ; et je crois pouvoir dire que je ne pus m'empêcher d'avoir le cœur serré devant l'inconscience, ou mieux la candeur, de cette femme par ailleurs si avisée...

Dans un premier temps, usant de ses appuis locaux, elle parut regagner du terrain ; elle retrouva même pour quelques jours la pleine possession de ses biens. Mais c'était compter sans la pugnacité de Greive. Je devais chaque soir lui faire le rapport le plus complet de ce qui se passait au château. L'agitateur en prenait bonne note et, tournant cela de la manière la plus choquante, s'employait aussitôt à déchaîner contre son ennemie intime la colère du petit peuple. Au début de l'été, il en vint à faire signer, sur les prétextes les plus oiseux, une pétition où les villageois de Louveciennes dénonçaient les abus en tous genres de leur « immonde » châtelaine ! Ce torchon, que moi-même je ne pouvais lire sans grimacer, n'en reçut pas moins une quarantaine de signatures... dont la mienne ! Cela représentait un bon tiers de la population. Même si certains signataires finirent par se rétracter, rappelant par écrit qu'elle faisait distribuer aux malheureux des secours qu'elle leur portait elle-même pour les visiter et s'enquérir de leur santé, qu'elle donnait l'exemple lorsqu'il s'agissait de l'application des nouvelles lois, et qu'elle était même allée jusqu'à leur offrir dans sa propre demeure un local pour leurs assemblées, rien n'y fit, et la première pétition fut pour Greive le signal du déchaînement.

De mon côté, je commençais à trouver que l'Américain allait trop loin. Son acharnement contre celle qui durant tant d'années m'avait nourri, quoi qu'on en pense, m'indisposait chaque jour davantage. Je n'étais pas le seul. Salanave aussi jugeait Greive excessif ; et quand la Convention elle-même, saisie par « l'Américain », eut bel et bien innocenté la « citoyenne Dubarry », l'ancien aide de cuisine en profita pour tenter de changer de camp. Il fit remettre à Madame une lettre de contrition parfaitement touchante, où il regrettait bien d'avoir agi contre elle, la priant de le pardonner et la suppliant à genoux de garder son épouse à son service. Comme l'on pouvait s'y attendre, l'intéressée ne prit pas la peine de lui répondre...

Or, dans le même temps, elle avait appris que, non content de me commettre avec ce Greive qui œuvrait à sa perte, j'avais, moi Zamor, signé l'infâme pétition dirigée contre elle.

12

« *Le soleil ni la mort*
ne se peuvent regarder fixement »

Comment avions-nous pu en arriver là ? Comment la
charmante oiselière et son colibri des îles, comment la fée
merveilleuse et son protégé, comment la belle Comtesse et
son petit sapajou avaient-ils pu en venir à se détester au
point de s'entre-déchirer ? Un quart de siècle a passé
depuis lors, et je ne parviens toujours pas à admettre cet
enchaînement diabolique et ses terribles conséquences.
Certes, elle m'avait déçu, et au-delà de toute mesure.
Certes, je l'avais aimée en pure perte, et mon dépit, s'en-
flant d'orgueil, ne connaissait plus de limites. Etait-ce une
raison pour la trahir à mort, et pour me faire le complice
de son pire ennemi ? Certains, à ma place, plaideraient l'inconséquence ou la jeunesse ; ils chercheraient à se défausser
en invoquant je ne sais quelle fatalité... Ce n'est pas mon
cas. Quels qu'aient pu être mon aveuglement dans cette
affaire et la mauvaise foi de celui qui en tirait les ficelles, je
ne puis nier que de bout en bout je fus pleinement
conscient de la tragédie qui se nouait. Et si je mérite une
quelconque indulgence, c'est à ma faiblesse seule que je la
dois ; cette faiblesse qui m'aura retenu, envers et contre
tout, dans les serres de Greive, et dans celles, tout autant
cruelles, de Blache, l'espion de police qui l'avait suivie en
Angleterre et n'arrêtait pas de clamer à tous vents que

Luciennes était le refuge et le rendez-vous de tous les scélérats qui conspiraient contre la patrie.

Innocentée le 9 août 1793 par le Comité de sûreté générale, dix jours avant ses cinquante ans qu'elle redoutait tant et transformait selon son humeur en quarante-deuxième, voire quarantième anniversaire, la Comtesse s'était crue hors d'atteinte, une fois pour toutes. Pour un peu, son soulagement aurait fait plaisir à voir. Du jour au lendemain, Luciennes redevint ce havre élégant qu'il n'avait d'ailleurs jamais cessé d'être. On y croisait la comtesse de Rohan-Rochefort, Monsieur de la Tour qui était alors secrétaire d'ambassade de la Suède et se faisait appeler le baron de Staal, mais aussi, ce qui était fort imprudent, Madame de Mortemart qui portait avec ostentation et bravoure le deuil du duc de Brissac, son père, tout comme la citoyenne Dubarry gardait attaché à l'une de ses manches un petit tulle noir, ultime et dangereux hommage à feu le roi Louis XVI. A présent, chassé de la maison et logé, aux frais de Greive, à l'auberge du père Renault, je voyais grimper dans la côte les voitures de tous ces « ci-devants » qui, un peu comme au retour de Saint-Vrain, revenaient faire leur cour à l'ancienne favorite. C'est tout juste si, mise en garde par Morin, leur hôtesse se montrait plus prudente dans ses points de vue, plus discrète dans l'étalage de son faste. Ainsi fit-elle retrancher de sa maison un certain nombre de portraits royaux et d'insignes monarchiques, dont l'exhibition pouvait paraître compromettante...

Au village, mon nouveau maître ne décolérait pas.

— Ah, la chienne ! hurlait-il en permanence. Faut-il qu'elle soit bien protégée tout de même ! Rassure-toi, Zamor, nous finirons par avoir sa peau.

Cette peau si soyeuse, si douce dont j'avais enfant respiré le parfum à pleins poumons et que Louis-Antoine de Rohan-Chabot, son nouvel amant, caressait maintenant. J'en étais sûr et j'en pleurais de rage. Quoi, un an à peine après que j'eus de mes propres mains enterré la misérable dépouille du Duc, voilà qu'elle s'abandonnait à son meilleur ami. Mais en même temps, la promesse de Greive, loin de me rassurer, m'inquiétait à l'extrême ; et je me demandais, sans oser lui poser ouvertement la question, pour quelle raison il s'acharnait à ce point sur une créature qui, à ce que j'en savais, ne lui avait jamais fait aucun mal... En voulait-il à sa fortune dont il était maintenant à même de mesurer l'ampleur ou rêvait-il, ce qui me paraissait plus probable, de passer à la postérité en la faisant tomber comme Herbert l'avait fait en s'attaquant à la Reine ?

— Je te promets, répétait-il, que l'année ne passera pas sans qu'elle ait mordu la poussière !

Le maudit homme avait raison. En septembre, le renversement de la tendance au sein de l'Assemblée fit souffler sur nos cendres un petit vent propre à tout embraser. La composition du Comité de sûreté fut revue dans un sens incomparablement plus favorable à nos idées. Et nos accusations trouvèrent bientôt des oreilles plus complaisantes. De sorte que, dès le 21, « l'Américain » reçut directement de Paris l'ordre de procéder lui-même à l'arrestation en bonne et due forme de la « femme Dubarry ». Il triomphait. Cherchant une contenance, il se forçait à ne pas sourire et, me regardant en coin avec des étincelles dans les yeux, me disait en affectant le plus grand calme .

— Zamor, ce n'est pas le moment de flancher. Cette fois, nous la tenons.

— Croyez-vous que je doive en être ?

— Tu n'es ni gendarme, ni officier municipal. Je ne puis donc t'emmener à la curée... Mais tu nous attendras dehors, et tu assisteras à tout.

Je me gardai bien de lui dire que je n'avais nulle envie de voir mon ancienne maîtresse enchaînée ; et le lendemain matin, je prétextai une rage de dents – d'ailleurs très véritable – pour m'épargner cette épreuve. Mon patron en fut quitte pour tout me raconter à son retour : comment elle avait tenté de fuir au premier et de brûler *in extremis* certains papiers compromettants, comment il avait refusé d'entendre ses « pleurnicheries », comment il l'avait poussée de force dans le fiacre, en direction de Paris et de la prison Sainte-Pélagie – rebaptisée alors du nom plus civil de « maison Pélagie ». Les gazettes étaient pleines de LA nouvelle ! Le *Journal de Paris*, les *Annales patriotiques, Le Moniteur* rivalisaient de détails qui étaient autant de mensonges mais faisaient rêver le chaland. On y glosait sur les cinq cent mille livres en or et argent que l'on avait découvertes dans sa cave en insistant sur le fait qu'elle ne payait pourtant plus personne depuis longtemps déjà. Profitant du bruit soulevé par l'événement, Greive s'appesantit plus que de raison sur l'efficacité avec laquelle il avait rempli son office, poussant le zèle jusqu'à faire arrêter, près de Bougival, le chevalier d'Escourre qui, malencontreusement, passait par là.

— J'ai fait d'une pierre deux coups ! plastronnait-il, avec la fierté des étrangers quand ils parviennent à placer correctement une expression difficile.

Pour moi, je ne pouvais m'empêcher de frémir en repensant à la première arrestation de Madame, lors de l'avènement de Louis XVI, et aux souffrances infinies que notre séparation forcée m'avait infligées alors. Se pouvait-il que cette fois-ci j'aie pu moi-même contribuer à une sanction plus sévère encore, et autrement conséquente ? La nausée me prit, et je passai la nuit entière à vomir sur ma propre déchéance. J'en venais à me demander si, dans cette nouvelle occasion, je n'avais point, une fois encore, écopé du plus mauvais rôle – ou du plus ingrat tout au moins... J'aurais sans doute préféré me voir arrêté et conduit en prison, comme une partie du personnel de Luciennes, plutôt que de me retrouver dans l'infamante posture du félon par qui le malheur est arrivé.

Le terrible Greive ne me laissa guère le loisir, au demeurant, de m'apitoyer longtemps sur mon sort. Pour reprendre son expression, « le travail ne faisait que commencer », et c'était à lui qu'incombait maintenant le soin redoutable de réunir contre l'accusée les preuves qui, sans faillir, la conduiraient à l'échafaud. Nous nous présentâmes à Luciennes le jour de l'arrestation, pour prendre possession des lieux. Greive avait tenu à s'installer à demeure, moins pour les commodités de l'enquête, sans doute, que pour la jouissance intime de savourer jour et nuit sa victoire. Avec la dernière indécence, il établit ses quartiers dans la chambre même de la Comtesse et dans son petit cabinet, et poussa le vice jusqu'à prétendre que Morin le servît comme son nouveau patron. Naturellement, il n'en fut rien. Morin était un valet à l'ancienne mode, fidèle encore à la mémoire de Louis XV et profondément versaillais dans toute sa personne. Il préféra la prison au déshonneur, et jusqu'à l'échafaud, et fut arrêté le jour même, pour entrave à la bonne marche de la justice... Secrètement, je ne pouvais m'empêcher d'admirer le cran dont il avait fait preuve, et versais des larmes brûlantes et amères, non sur son sort, qui eût plutôt dû me réjouir, mais sur ma propre indignité, que son courage rendait encore plus détestable. Je peux dire sans emphase que depuis ce jour-là, je n'ai pas vécu deux heures sans éprouver l'implacable remords de mon attitude ; il me semblait que ma personne allait continuer à vivre, mais dépourvue de l'âme qui l'avait jusque-là habitée.

Et je ne pense pas autrement à l'instant où je trace ces lignes...

Pendant des semaines, alors que l'opinion se passionnait pour le sort réservé à la ci-devant reine Marie-Antoinette, Greive dépouilla, un à un, tous les papiers et documents relevés à Luciennes... « L'Américain » n'avait pas son pareil pour saisir la portée du moindre billet, et en faire ressortir le sens caché. Il classait, annotait, ordonnait, en vue de constituer le plus parfait dossier d'accusation qu'on vît jamais. Pourtant, plus j'apprenais de détails sur l'arrestation puis l'emprisonnement de la Comtesse, plus je me sentais faiblir dans mes convictions. Comment l'imaginer, elle, si raffinée, si voluptueuse, dormant à même la paille, entre les murs étroits et suintants d'humidité des cellules de cet ancien couvent !

J'avais beau me répéter qu'elle conservait encore beaucoup de son influence, qu'elle savait se défendre, d'ailleurs ne l'avait-elle pas déjà prouvé une première fois ?... Mes misérables tentatives de déculpabilisation sombrèrent corps et biens lorsque j'appris par ces mêmes gazettes qui soufflaient sur le feu que le citoyen Lavallery avait été « péché le 3 octobre de l'an 1793, le deuxième de la République, dans la rivière de Seine, audit port de la Rappée ». Ainsi donc, le dernier rempart contre l'implacable haine de Greive venait de tomber. L'administrateur du département de Seine-et-Oise, auquel la citoyenne Dubarry avait adressé un appel au secours arguant de son innocence et de sa loyauté, avait préféré, suspecté de manque de coopération, se suicider plutôt que de se laisser arrêter, ce qui, en ces temps nouveaux, préludait à l'échafaud.

Etait-elle donc définitivement vaincue ?

Un soir, alors qu'à bout de forces je me sentais venir une colère plus forte encore que mon dégoût pour moi-même, je trouvai la force de lui demander ce qui motivait son acharnement à perdre cette pauvre femme.

— C'est toi qui me demande cela ?

Greive paraissait sidéré par ma question, et je vis poindre une vague inquiétude dans son regard.

— Tu as connu l'avant-dernier tyran, n'est-ce pas ?

— Louis... Le... le ci-devant Louis XV ?

— Le ci-devant affameur du peuple, en effet. Tu gardes un bon souvenir de lui ?

Je m'apprêtais à répondre par l'affirmative quand je compris soudain, à son mouvement d'impatience, que cet homme dangereux s'appliquait à me jauger. Il s'était mis, brutalement, à douter de ma loyauté. Un frisson me parcourut l'échine, et je m'empressai d'abonder dans son sens.

— C'était un homme vil et abject, m'entendis-je conclure à propos de Sa Majesté. L'une des pires engeances que la terre ait portées...

Visiblement rassuré – ou simplement assuré de ma fourberie – l'Américain ricana et me passa la main dans les cheveux. J'aurais voulu me les raser sur l'heure. Au lieu de quoi je fis bonne figure et, titubant de fatigue, demandai seulement la permission d'aller me coucher. Greive me l'accorda.

Le 14 frimaire – 4 décembre aujourd'hui –, la Comtesse fut transférée à la Conciergerie et jetée dans le cachot même où l'on avait tenu Marie-Antoinette, quelques semaines plus tôt, avant son exécution. C'est à ce moment-là que nous avons été convoqués à Paris, au Palais de Justice, pour peaufiner avec le citoyen Fouquier-Tinville le réquisitoire qui devait, sinon convaincre un jury qui n'avait pas besoin de l'être, du moins justifier sa décision. La personnalité de l'accusateur public m'en imposa fort. C'était un homme étrange, extrêmement inquiétant, qui joignait une grande nervosité intime aux dehors les plus calmes, les plus froids même.

— Comme cela, c'est toi, le fameux Zamor, me dit-il.

— Oui, citoyen, pour te servir.

— Je t'imaginais plus petit.

Pendant toute la séance de travail, qui fut longue, je ne pus me défaire du sentiment que le terrible magistrat doutait de ma fiabilité. Un tremblement me vint bien malgré moi, que je tentai vainement de réprimer. Et, comme ses questions se faisaient de plus en plus précises et insistantes, je finis par me convaincre que Fouquier m'aurait vu plus volontiers dans le camp de l'accusée que dans le sien. Greive avait dû sentir mon trouble, puisqu'il crut bon de souligner à l'attention du procureur :

— Le citoyen Zamor, comme tu sais, est un républicain zélé. N'est-il pas secrétaire du Comité de surveillance de Versailles ?

A quoi Fouquier-Tinville se contenta d'opiner du chef.

Après cela, je n'ai guère besoin de dire que Greive n'eut aucun mal à me convaincre de la nécessité, dans mon propre intérêt, de me montrer coopératif avec le Tribunal révolutionnaire. Le procès de Madame devait commencer le 6 décembre, mais vu le grand nombre de témoins, je ne fus appelé à la barre que le lendemain matin. Deux jours avant, « l'Américain » s'était chargé de m'inculquer dans le détail tout ce que je devais déclarer à la Cour. C'est alors que j'ai découvert le rôle que l'on prétendait me voir jouer. Non contents de m'entendre mettre en doute le patriotisme de ma maîtresse, et relater ses accointances avec les milieux proches de l'Emigration, ses ennemis voulaient encore que soit mise en doute, et par ma bouche, la réalité du cambriolage de janvier 1791. Ainsi Greive et sa bande me confiaient-ils le soin de semer le trouble dans les esprits, et de présenter l'affaire des bijoux comme un prétexte à communiquer avec Londres et les Emigrés.

— Enfin, protestai-je, elle n'a quand même pas organisé ce vol contre elle-même !

— Je ne sais si elle l'a fait, répondit Greive, mais je sais que tu dois le dire.

Effondré, je me trouvai donc placé dans la situation la plus affreuse du monde. Je devais charger Madame du Barry hors de toute mesure, en soutenant contre elle des accusations purement et simplement mensongères.

— Je regrette, dis-je, mais je ne puis.

— Ce n'est pas l'heure, mon vieux Zamor, de contrarier le citoyen Fouquier.

— Mais puisque ce n'est pas vrai !

— Mais qu'en sais-tu, cervelle de moineau ? Comment peux-tu affirmer que cette Messaline n'a pas monté elle-même, et de toutes pièces, cette histoire ? Simplement pour se donner une excellente raison d'aller comploter à Londres !

— Je n'y crois pas.

— Je ne te demande pas d'y croire. Je te conseille seulement de l'affirmer !

Et ce soir-là, je lus tant de menaces dans le regard de Greive que je me contentai de baisser la tête. Oui, j'allais céder à leur pression. Oui, j'allais entrer dans leur manigance. Oui, il serait dit, à jamais, que le nègre Zamor aurait publiquement dénoncé sa maîtresse, et l'aurait conduite à la guillotine en affirmant qu'il avait, lui le témoin, le protégé, le confident, la certitude que toute cette affaire de procès n'était que le maquillage honteux d'un crime d'Etat !

Ma résolution prise, je devais encore trouver en moi la force de mentir. Toute la nuit qui précéda ma comparution à la barre du Tribunal révolutionnaire, je demeurai assis au coin de mon lit à me remémorer, pour me donner du courage, les déceptions amères que j'avais pu collectionner au service de Madame. Je revis les tenues ridicules, réentendis les propos déplacés, revécus le baptême manqué, me remémorai chaque instant de mon humiliation dans la paillote. Je revis Madame indifférente, lointaine, parfois presque moqueuse à mon égard. Je l'imaginai de nouveau dans les bras d'Adolphe, de Seymour, de Brissac, de Rohan-Chabot et me toisant de tout son haut. Soudain, je repensai à l'épisode de mon accident avec l'éléphant, et à cette longue convalescence durant laquelle elle ne s'était pas déplacée une seule fois pour me venir voir. « Pas une seule fois, me disais-je en espérant alimenter une colère qui se refusait à mes injonctions. Pas une seule fois... »

C'est dans un état déplorable que je me présentai devant la Cour. La salle était comble. Une foule bruyante et hargneuse s'y entassait déjà au-delà de toute prudence. Mais n'était-ce pas la dernière des favorites de l'Ancien Régime que l'on allait voir publiquement s'humilier !

Lorsque ma maîtresse fit son entrée, quelque chose comme un grand souffle sembla balayer l'assemblée, et soudainement je me revis à Versailles, agenouillé à ses pieds, tenant sa petite montre aux chiffres en diamants et en émeraudes dont j'écoutais battre le cœur lorsque le lourd rideau de satin bleu semé de lys d'or se levait à l'Opéra. C'était ce même soupir de satisfaction béate où il entrait de l'étonnement pour ce que l'on découvrait, de la curiosité pour ce qui allait suivre, et déjà une tension presque palpable.

Elle-même en parut surprise au point de détourner très légèrement la tête vers celles et ceux qui, maintenant, murmuraient sourdement. Me vit-elle ? Je ne saurais toujours pas le dire, mais, en une fraction de seconde, j'avais aperçu, sur la grâce extrême de son cou dépourvu de tout ornement, la ligne bleutée d'une veine que l'émotion faisait palpiter et qui me bouleversa.

Je devais témoigner le sixième après Greive, Blache bien sûr, le malheureux d'Escourre, et avant beaucoup d'autres que Madame avait eus à son service.

Or, contre toute attente, dire du mal d'elle me fut plus facile que je ne l'eusse pensé. A la fois intimidé par l'appareil de la justice, et porté par le climat ambiant d'hostilité à l'Ancien Régime, je me surpris à parler plus librement, avec des accents plus véridiques, que je ne l'aurais cru possible. Comme s'il s'était agi d'un autre témoin, je m'entendis dire que la majeure partie des personnes qui venaient chez la ci-devant Dubarry, n'étaient pas patriotes par leurs propos et que ces personnes se réjouissaient des échecs qu'éprouvaient les armées de la République, singulièrement dans la Vendée. A deux ou trois reprises, je ne pus m'empêcher de jeter vers l'accusée un regard furtif ; l'air de hauteur indignée qu'elle avait adopté pour marquer son mépris contribua fort à me donner le supplément de hargne qui, peut-être, m'eût fait défaut sans cela. Alors je rajoutai que le vol des diamants dans la fameuse nuit du 10 au 11 janvier 1791, m'avait toujours paru suspect, et puis, comme je ne trouvais plus rien à dire, j'expliquai laborieusement que plusieurs fois j'avais fait des représentations à l'accusée Dubarry de ce qu'elle recevait des aristocrates, mais qu'elle n'avait pas daigné me répondre. Et quand le président me remercia, c'est presque à regret que je quittai la barre ; cependant, au moment où j'allais prendre congé, mon regard croisa celui de l'accusateur public ; au signe discret que m'adressa Fouquier-Tinville, je compris que j'avais joué mon rôle au-delà même de ses espérances. Tant d'années après, ce petit signe me réveille encore en sursaut, certaines nuits... Le réquisitoire de Fouquier-Tinville fut terrible. Il y parla de la scélératesse des conspirateurs contre la Liberté. De cette horde de brigands liguée contre elle, s'attardant sur l'infâme conspiratrice qui pouvait vivre au milieu de l'opulence acquise par ses honteuses débauches, au sein d'une patrie qui paraissait avoir enseveli, avec le tyran dont elle avait été la digne compagne, le souvenir de sa prostitution et le scandale de son élévation. Il termina le bras droit levé, en exhortant les jurés à frapper du glaive une Messaline coupable de conspiration contre la patrie.

Il faisait sombre depuis longtemps dans la salle du Tribunal révolutionnaire, quand la Cour revint pour prononcer le verdict. Les accusés – les banquiers Vandenyver, père et fils, complices supposés de Madame, qui partageaient en effet son sort – se levèrent lentement pour entendre des phrases que tout le monde avait déjà en tête. Quelques bougies donnaient, çà et là, une maigre lueur, mais qui suffisait cependant à distinguer les silhouettes. Aussi quand le président Dumas tendit le papier portant les conclusions des jurés à Robert Wolf, le greffier, je me surpris à espérer contre toute attente que cela allait s'arranger, qu'elle serait épargnée, et j'écoutai chaque mot du jugement comme s'il se fut agi du mien. « Attendu que Jeanne Vaubernier, femme Dubarry, demeurant à Luciennes, ci-devant courtisane, est convaincue d'être l'un des auteurs ou complices de ces machinations et intelligences, condamne ladite Jeanne Vaubernier, femme Dubarry, à la peine de mort. » Un peu plus tard, j'appris que les banquiers Vandenyver avaient été pareillement condamnés à la peine de mort, mais de l'énoncé pourtant bref du jugement je n'avais retenu que trois mots : Jeanne, Dubarry, mort. La sentence prononcée, je vis la Comtesse vaciller et s'évanouir à moitié sur son banc... Je détournai les yeux et sortis le plus vite que je pus. Parvenu dans le vestibule, je me forçai à respirer l'air froid à pleins poumons, tandis que mes larmes jaillissaient pour se répandre sur mon jabot. Je sentais mon cœur se tordre dans ma poitrine. Pourquoi, me disais-je, pourquoi ne m'a-t-elle pas mieux aimé ? Pourquoi n'ai-je pas pu demeurer son cher petit Zamor ?

Greive m'avait suivi dans la pénombre. Il s'approcha de moi, tout patelin et, me donnant une bourrade, articula les mots les plus terribles qu'il m'eût été donné d'entendre :

— Bravo, je n'aurais pas cru cela de toi. Fouquier non plus, du reste. Nous qui pensions que tu l'aimais secrètement !

Secoué de sanglots, je ne pus répondre. D'ailleurs, il n'y avait rien à dire. Si j'avais été un gentilhomme, j'aurais tué Greive, tout simplement. Mais je n'étais point gentilhomme.

13

Tous les deux...

L'exécution avait été fixée séance tenante au lendemain, 18 frimaire, 8 décembre donc. Alors que de toute mon âme je me refusais à ce qui allait suivre, mon corps me portait vers le lieu du supplice comme si une force supérieure voulait m'infliger ce châtiment en réponse à ma trahison. Je passai donc la nuit à errer au bord de la Seine le long des grèves et sous les ponts pour me retrouver à neuf heures parmi la foule qui entourait déjà l'échafaud, place de la Révolution. L'exécution était prévue pour onze heures et l'ambiance était à la plaisanterie. J'entendis ce matin-là les pires choses, les plus basses, les plus graveleuses sur Louis XV, sur Versailles, sur Brissac et même sur moi. L'imagination du public semblait nourrie de tous les pamphlets et libelles qui depuis tant d'années faisaient les beaux jours des gazettes.

Lorsque la charrette arriva enfin, à onze heures et demie passées, mon cœur défaillit et ma vue se brouilla, quand, tout près de moi, un cri s'éleva :

— La Dubarry n'y est pas !

Et de fait, la chère Comtesse n'était pas du nombre des condamnés qui s'abandonnèrent au bourreau et à ses aides. M'écartant de la boucherie, je tentai de me renseigner, et ne fus guère long à savoir que, dans l'intention de différer l'échéance, Madame avait accepté de livrer au juge Denizot la liste de tous les joyaux qu'elle avait dissimulés un peu partout à Luciennes. L'espace d'un moment, je me repris à espérer l'impossible. Je m'isolai du côté des Tuileries et tombai à genoux pour implorer le Ciel de sauver celle que j'aimais encore – quitte à prendre ma vie pour épargner la sienne.

Mes prières, on le sait, ne furent pas entendues. Comment auraient-elles pu l'être ? Affolée, la malheureuse, pour gagner un peu de ce temps de vie qu'elle sentait pour la première fois lui échapper, avait, de nouveau, détaillé la liste, ô combien provocante !, des joyaux reçus en cadeau. « Ces trésors arrachés à la Nation, acquis au prix du sang versé par le peuple pour orner les palais où elle se prostituait ! » avait beau jeu d'ironiser Fouquier-Tinville. Trois heures durant, avec une précision renversante en pareille circonstance, ma pauvre Comtesse décrivit un par un ses trésors et les lieux de leurs cachettes comme on égrène un chapelet aux miraculeuses vertus.

« Dans la resserre, en face de la glacière, se trouve dans une boîte en corbeille que j'ai fait enterrer quinze cent trente et un louis d'or, une chaîne en diamants, trois anneaux, un de diamants blancs, un de rubis, un en émeraudes ; dans une petite boîte de sapin remise à la femme du frotteur : un petit paquet de quatorze ou seize diamants, un de petits rubis, une autre chaîne en émeraudes et diamants dont un gros de cinquante grains, un portrait monté en or de Louis XV.

« Dans la chambre à côté de celle à coucher, un bouchon de flacon d'or émaillé en bleu avec un gros diamant au bout. Dans la cave... dans le jardin de Morin... »

Qu'espérait-elle ? Que, s'étant dépouillée de tout, on l'allait relâcher ? Après des heures d'attente interminables, un gamin vint crier dans le cabaret où je m'étais réfugié que cette fois-ci « la Dubarry » allait être « raccourcie », que sa charrette approchait de la place, que la foule se rassemblait, que la condamnée gémissait et se débattait, qu'il fallait la voir, ah oui ! Que pour du spectacle, ça c'était du spectacle !

Bien que je fusse tenté de rester assis à ma place, je tâchai de rassembler mon courage et sortis dans la nuit tombante pour retourner place de la Révolution. J'y parvins en même temps qu'elle et la vis passer tout près, ligotée, ballottée, plus morte que vive, maintenue sur son banc tant bien que mal par l'exécuteur et ses aides qui tentaient vainement de la bâillonner de leurs mains.

A ses côtés, Jean-Baptiste Vandenyver et ses deux fils essayaient eux aussi, par leur exemple, de l'apaiser, mais il semblait bien que la peur atroce qui s'était emparée d'elle ait chassé toute raison de son esprit.

— C'est mieux qu'avec la Capet ! appréciait en connaisseur le même gamin qu'une forte femme couverte de cocardes regardait avec attendrissement.

« La Capet » qui avec son époux le Roi était allée au supplice avec une fermeté que même leurs pires ennemis n'avaient pu s'empêcher de reconnaître et, qui sait, d'admirer en secret. Comme l'on avait salué la dignité et la bravoure du vieux Monsieur de Malesherbes qui avait si courageusement accepté de défendre Louis XVI et qui, trébuchant sur une pierre alors qu'il sortait de prison pour marcher à la mort, avait murmuré en souriant doucement : « Mauvais présage, un Romain à ma place fût rentré chez lui... »

Il n'en fut pas ainsi pour la Comtesse et je ne sais si je dois confier à ce papier la scène qui suivit. Après bien des efforts, les bourreaux étaient enfin parvenus à la hisser apparemment inerte jusqu'au pied de la machine, mais quand on l'eut basculée sur la planche, elle ne put retenir un cri d'épouvante, un cri qui ne ressemblait à rien de ce que j'avais entendu de toute ma vie, un cri qui n'en finissait pas, une sorte de hurlement qui paraissait celui d'une bête que l'on dépèce vivante. C'était un son strident qui vous entrait dans la tête et vous perçait les entrailles. Je crus que j'allais défaillir, et je sentis tout autour de moi peu à peu un certain malaise, puis l'indignation gagner ceux qui assistaient au supplice. Mais le lourd couperet en tombant comme une pierre mit fin aux murmures et sembla soulager tout le monde. Et tandis que l'on exhibait la tête de « la catin de l'avant-dernier tyran de la France », je ne pouvais détacher ma vue de tout le sang qui, en dépit de l'ombre, conservait son éclat rouge, écarlate plutôt, cette couleur qui m'envahissait, me noyait... J'allais en titubant suivre la foule qui déjà s'éloignait de l'échafaud, lorsque je crus apercevoir, parmi tant de têtes inconnues, un visage que je ne pouvais ignorer. Dans la nuit qui était tombée maintenant, les yeux de Louise me fixaient. Cela ne dura que deux ou trois secondes tout au plus ; mais ce fut assez pour me ramener à la vie. Stupéfait, je me précipitai dans cette direction, bousculant celles et ceux qui me séparaient de l'apparition, mais malgré mes efforts je ne pus la rejoindre. Eperdu, je m'entendis crier : « Louise ! Louise ! » Mais cela n'eut d'autre effet que de provoquer les railleries de ceux qui m'entouraient.

En fait, je ne suis pas certain d'avoir vraiment souhaité la retrouver. Car ce que j'avais lu, l'espace d'un instant, dans le regard qu'elle avait fixé sur moi, ce que j'avais cru déceler dans ses pupilles adorées, ce n'était pas de l'amour, non. Ce n'était pas de la colère non plus, ni même du mépris. Ce que j'avais perçu dans le regard de Louise, c'était de la pitié.

Dès le lendemain, sans même prendre le temps de repasser à la Louve ancienne, je montai comme un automate dans une grosse berline qui partait pour Versailles où je demeurai alors, rue de la Loi.

Vingt et un jours plus tard, très exactement, j'étais arrêté à mon tour et incarcéré comme « très suspect » à la prison de Port Libre. Port Libre ! J'aurais dû en rire tant il y avait à la fois, dans ce nom, l'image du départ de toute mon aventure et le rêve d'une indépendance qui m'était plus que jamais refusée.

« Zamor. Nègre. Ci-devant agent de la Dubarry » avait-on inscrit pour nom, surnom, profession sur le registre des détenus. Et c'est un certain Batelier, député à la Convention, qui m'avait fait arrêter. Pour le coup, mes camarades du Comité de surveillance de Seine-et-Oise prirent les premiers la plume, pour me réclamer à Fouquier-Tinville, suivis de Greive qui s'écriait dans une belle envolée au lyrisme enflammé : « Quoi ! ce vertueux Zamor, dont la vie entière est sans tache, est traîné comme un criminel dans les mêmes prisons qu'ont occupées les vils conspirateurs dont il a contribué à dévoiler les complots. Les méchants vont donc triompher sur les patriotes ! Tu l'as vu, tu l'as entendu cet être intéressant qui, arraché des bras de sa famille à l'âge de quatre ans et mené en Europe pour servir de joujou à la vile maîtresse d'un crapuleux tyran, a su par les germes de la vertu qu'il a reçu de la Nature, par la force de son caractère, se soustraire à tout ce qui tenait à la corruption d'une cour infâme et se montrer à la hauteur de la République, même en 1789. Demande ce qu'en pensent les braves patriotes du café Procope où il est estimé de tout ce qu'il y a d'estimable. »

La liberté me fut rendue le 26 pluviôse ou si vous préférez le 14 février de cette terrible année 1794. J'étais resté six semaines dans ma cellule, ayant pour toute compagnie, le jour, deux malfrats accusés de pillage, la nuit, toutes les nuits, le fantôme de ma maîtresse décapitée.

Les années qui suivirent furent marquées, comme c'est souvent le cas après de grandes exaltations, du sceau du désenchantement. Imprégné que j'étais des belles paroles de ceux qui m'avaient formé au travers des écrits de Jean-Jacques Rousseau ou de l'abbé de Mably, je crus pouvoir vivre conformément aux règles en vigueur dans cette nouvelle société dont j'avais tant attendu. Quelle erreur ! nègre j'avais été pour les aristocrates, nègre je demeurai pour les citoyens. Si au début on se prit à rechercher ma compagnie pour m'écouter raconter la vie à Versailles et, plus que tout, les supposées frasques de la feue Comtesse avec ses amants, très vite, l'intérêt que l'on me porta fut tout autre. Le bruit courait qu'élevé comme je l'avais été, au milieu de tant de richesses, je devais bien en avoir préservé quelques-unes. Et de fait, une certaine somme en louis d'or m'avait été concédée par Greive qui l'avait prélevée sur sa propre for tune. Mais de toute cette agitation je n'avais cure, car j'avais rencontré, au café Procope justement, l'âme sœur, du moins le croyais-je, en la personne d'une femme de mon âge qui tenait boutique dans le Marais. Elle y vendait des rubans, des dentelles, des fils de soie et des pièces de mous- seline et de percale, et semblait avoir quelques-unes de ces manières de l'ancien temps auxquelles, malgré moi, je res- tais très attaché. De petites révérences qu'elle me faisait quand elle me croisait. Une jolie façon de dire « Mon cher » en place de « citoyen », et puis, pour être tout à fait franc, au-dessus d'une taille incroyablement fine, une opulente poitrine qu'elle soulignait d'un fichu d'indienne croisé sur chaque sein. Plus d'une fois, je l'avais surprise me souriant. Un léger sourire que j'interprétais comme une invitation à lui parler, mais ma couleur m'en avait empê- ché ; jusqu'au jour où elle en prit l'initiative.

— N'est-ce pas que vous viviez à Luciennes, au château ?

Elle n'avait ni prononcé le nom de la Comtesse, qui me déchirait toujours le cœur, ni parlé du procès et de ma conduite citoyenne, ce que je redoutais par-dessus tout ; mais hélas ! elle avait ajouté :

— Vous avez dû en voir de toutes les... !

Ensemble nous avions éclaté de rire. Il y avait si long- temps que je n'avais ri en compagnie d'une femme.

— Oui, de toutes les couleurs ! avais-je achevé lorsque le souffle m'était revenu.

Nous fîmes l'amour le soir même, dans la minuscule chambre qu'elle possédait à l'entresol, au-dessus de sa boutique. Et dès ce soir-là, j'en fus fou.

Tout d'elle m'était soudainement devenu indispensable, avec un appétit de plaisirs, une fureur que tant d'heures tragiques vécues dans l'angoisse et le remords affolaient encore. Enfin, il y avait cette impression qu'elle donnait de découvrir, lorsque je la prenais, des « raffinements de cour », disait-elle en riant, avant d'ajouter dans un soupir, « encore, encore mon amour de Zamor ». Et cette musique-là m'enivrait plus sûrement que tous les vins de Champagne.

Dois-je pourtant misérablement l'avouer, c'est : « Encore, encore de l'or Zamor, ou je te quitterai » que j'aurais dû entendre. Comment ne l'avais-je pas deviné ?

Grâce au « cadeau » de Greive, l'entresol où j'avais brièvement cru au bonheur s'enrichit de tout un étage dont je fus chassé. A peine épousée, la belle m'avait ruiné en moins de temps qu'elle n'en avait pris pour me piéger dans ses rets. Pour comble d'ironie, je ne survécus que grâce aux leçons de français reçues de mes anciens maîtres et revendues aux nouveaux, avides de tournures qu'ils ne possédaient point.

Maître de français, voilà ce que la Révolution avait fait du Nègre de la du Barry, avant que la Restauration ne me pourchasse de nouveau. Ce qu'il advint de moi par la suite n'a aucune importance.

J'étais né un soir de mai, chez le maréchal de Richelieu. Tiré du néant par une belle fée, j'y étais retourné en même temps qu'elle par un jour brumeux de décembre où ma vie, la vraie, la seule finalement, s'était achevée sans une plainte, grands dieux ! et sans un mot de compliments.

Hier soir, comme je m'assoupissais, elle est revenue. Elle n'avait plus cette horrible plaie béante au cou, dont la vue me réveillait en sursaut, trempé de sueur et tremblant de peur, dans ces effroyables cauchemars qui hantèrent mes nuits durant des mois et des mois après son martyre. Elle me souriait en me tendant les bras. Et comme je marchais vers elle, imperceptiblement son visage s'effaça devant celui, si lointain dans mes souvenirs, de ma mère drapée dans le sari rouge qu'elle portait le jour où la mort me l'avait enlevée. Interdit, je m'étais arrêté lorsque de nouveau celui de la Comtesse reparut, un peu incliné vers moi, comme dans le tableau que j'aimais tant. Celui où nous posions tous les deux. Tous les deux... tous les deux...

Le manuscrit de Zamor s'arrêtait là, sur ces deux mots à l'écriture tremblée. Ce fut Mademoiselle Poullain-Dubois, l'une de ses voisines, qui le découvrit posé sur une petite table de bois blanc sur laquelle il y avait une bougie à demi consumée, trois francs et un bout de dentelle qui aurait pu être le reste d'un précieux mouchoir.

Allongé sur le lit, Zamor, les yeux grands ouverts, dormait de son dernier sommeil.

Le médecin venu constater le décès nota simplement que le dénommé Louis-Benoît Zamor, de petite taille, le nez légèrement épaté, les cheveux un peu crépus, grisonnants et peu abondants, était décédé la veille, le 7 février 1820, au deuxième étage du numéro 9 de la rue Perdue dans le quartier du Marais. Il ajouta qu'il était probablement mort de faim et de froid, et qu'il était plutôt mulâtre que Nègre.

Table

Cet ouvrage a été imprimé par la
SOCIÉTÉ NOUVELLE FIRMIN-DIDOT
Mesnil-sur-l'Estrée
pour le compte des Éditions Plon
76, rue Bonaparte
Paris 6ᵉ
en janvier 2004

Composé par Nord Compo
à Villeneuve-d'Ascq